CAHIERS DU CENTRE JEAN BÉRARD, XII

© Centre Jean Bérard - ISBN 2903189-30-7

CAHIERS DES AMPHORES ARCHAÏQUES ET CLASSIQUES, 2

LE ANFORE ARCAICHE
DALLO SCARICO GOSETTI,
PITHECUSA

*Ouvrage financé
par la Direction Générale
des Relations Culturelles
du Ministère des
Relations Extérieures*

Maquette de la couverture per Henri Broise et Françoise Fouilland

Norma DI SANDRO

LE ANFORE ARCAICHE
DALLO SCARICO GOSETTI,
PITHECUSA

Con una premessa
di Giorgio Buchner

CAHIERS DES AMPHORES
ARCHAÏQUES ET CLASSIQUES, 2

CAHIERS DU CENTRE JEAN BERARD, XII
Naples, 1986

Diffusion des publications:

L'ERMA di
Bretschneider
Via Cassiodoro, 19
00193 Roma

R. Habelt
Am Buchenhang, I
5300 Bonn

Les Belles Lettres
95, bd Raspail
75006 Paris

SOMMARIO

Grazie all'usanza della sepoltura a enchytrismos degli infanti, frequentissima a Pithecusa dagli inizi dell'insediamento greco fino ai primi decenni del VI sec. a.C., gli scavi nella necropoli hanno fornito abbondante materiale per la conoscenza delle anfore contenitori, domestiche e da trasporto commerciale, di produzione locale e d'importazione, che vi furono allora in uso (G. BUCHNER 6). Con il cambiare dei modi di sepoltura che si riscontra nella necropoli pithecusana dopo i primi decenni del VI sec., anche la sepoltura degli infanti in anfore viene tuttavia abbandonata quasi completamente e perdura soltanto in rarissimi casi isolati fino in età romana, di modo che soltanto reperti provenienti da livelli di abitazione possono fornire informazioni sulle anfore presenti a Pithecusa nei periodi posteriori. Fortunatamente questa lacuna viene ora colmata dallo studio che Norma Di Sandro ha dedicato ai frammenti di anfore rinvenuti nello scarico dell'acropoli pithecusana di Monte di Vico.

Fin dagli anni '30 avevamo individuato, in cima alla falesia del versante orientale del promontorio di Monte di Vico, un limitato tratto esposto dall'erosione in sezione verticale, in cui il terreno conteneva alla rinfusa una grande quantità di cocciame e di frammenti di tegole, e vi avevamo eseguito anche un piccolo saggio che peraltro ha interessato soltanto pochi metri cubi di terreno non potendo inoltrarci nel vigneto che ricopriva la retrostante zona pianeggiante. Quando, nel 1965, quest'ultima fu acquistata per costruirvi una villa di ampie proporzioni e le ruspe iniziarono lo sbancamento per le fondazioni, apparve il medesimo strato archeologico ricchissimo di materiale. Fermati i lavori per intervento della Soprintendenza alle Antichità, si procedeva allo scavo del giacimento, noto ormai come «scarico Gosetti» dal cognome della proprietaria della villa che è stata costruita dopo esaurito il recupero di emergenza del materiale (G. BUCHNER 3, p. 64; D. RIDGWAY 2, p. 97-105). Si constatò che il livello archeologico formava il riempimento di un solco di erosione scavato dalle acque piovane nella parte terminale del banco di tufo cineritico poco coerente che costituisce la base di quel versante del promontorio, e che il materiale delle diverse epoche giaceva rimescolato in modo caotico, senza alcuna successione stratigrafica. Si tratta quindi di uno scarico secondario di materiali provenienti da una zona soprastante. Sembra poco probabile che la sua messa in posto possa essere dovuta ad agenti naturali, vale a dire a una frana in seguito a un terremoto. Ci si aspetterebbe allora che il medesimo livello continuasse, pur con minor spessore, anche ai lati del solco di erosione, mentre di fatto era limitato a quest'ultimo. È più verosimile, perciò, che vi sia stato scaricato dalla mano dell'uomo in occasione di uno spianamento operato nella parte più alta dell'acropoli.

La terra di riempimento del solco d'erosione conteneva un'impressionante quantità di materiale, principalmente di ceramica, in cui sono rappresentati tutti i periodi, a cominciare dalla civiltà appenninica della media età del bronzo fino alla ceramica campana a vernice nera. L'unica lacuna è costituita dalla assenza assoluta di ceramica dell'età del ferro preellenica che del resto manca anche tra i cocci raccolti in superficie a Monte di Vico e nelle altre zone di ricerca finitime (necropoli e Mezzavia) le quali hanno fornito invece ugualmente avanzi appartenenti alla civiltà appenninica. Per quanto concerne l'insediamento greco, abbondantissimo è il materiale appartenente al tardo-geometrico I e II, meno frequente quello attribuibile ai secoli VII, VI e V, mentre è di nuovo molto frequente quello di età ellenistica che giunge fino alla ceramica campana a vernice nera di tipo tardo. La mancanza assoluta di ceramica romana nello scarico (mentre nelle immediate vicinanze si trovano avanzi di costruzioni e cocci romani), indica che il riempimento dev'essere avvenuto tra la fine del II e gli inizi del I sec. a.C.

Purtroppo questo campionario che copre l'intero arco della vita della Pithecusa greca (1) non si trova dunque più nella giacitura originaria e può essere descritto soltanto in base alla tipologia. Per quanto riguarda in particolare lo studio presente delle anfore è da tener conto di una ulteriore condizione di svantaggio. Come è ovvio la massa di gran lunga preponderante del materiale era costituita da frammenti di vasellame grezzo e di tegole. Non era, allora, pensabile di poter conservare integralmente le tonnellate di questo cocciame ed era indispensabile farne una cernita sul posto. Furono conservati perciò soltanto i frammenti di anfore che apparivano più significativi e soprattutto di quelle che erano chiaramente di importazione, mentre dei frammenti di anfore di produzione locale, assai più frequenti, furono conservati soltanto relativamente pochi campioni. Il materiale raccolto non permette dunque di fare rilevazioni statistiche. Anche la maggiore o minore frequenza dei diversi tipi di anfore importate, che in complesso sarà grosso modo indicativa, non fornisce un criterio del tutto sicuro. La frequenza delle anfore fenicie a spalla emisferica distinta, p.es., potrebbe essere dovuta al fatto che a quel tipo esotico sia stata rivolta particolare attenzione nella selezione dei frammenti, e lo stesso vale per le anfore SOS e quelle chiote dipinte.

Pur con questi limiti che è doveroso mettere in risalto, i frammenti di anfore provenienti dallo «scarico Gosetti» si sono rivelati di considerevole interesse, specie per quanto riguarda i secoli più recenti per i quali manca la documentazione nella necropoli. Non ci saremmo aspettati la presenza di tanta varietà di anfore importate quando Pithecusa aveva ormai da tempo perduto il suo carattere di grande emporio commerciale, varietà che risalta viepiù al confronto con il numero piuttosto ristretto di centri di produzione presenti nello stesso periodo tra le anfore rinvenute a Lipari, pubblicate ora da Madeleine Cavalier in questa stessa collana. Il fenomeno si spiega peraltro se si considera che Pithecusa, anche se non ebbe allora più vita autonoma, era pur sempre la dipendenza di una città dell'importanza di Cuma.

Giorgio Buchner

---

(1) David Ridgway ha identificato tra la ceramica dello «scarico Gosetti» un certo numero, sia pure limitato, di frammenti di skyphoi a chevron appartenenti al mediogeometrico che devono essere assegnati a un periodo anteriore al 750 (D. Ridgway, *The foundation of Pithekoussai*, in: *Nouvelle contribution à l'étude de la société et de la colonisation eubéennes, Cahiers du Centre Jean Bérard VI*, Napoli 1981, p. 45-56; D. RIDGWAY 2, p. 98 sg. e fig. 21). La pubblicazione integrale del materiale dello scarico è in preparazione ad opera dello stesso Ridgway e collaboratori.

Resta poco da aggiungere alla premessa di Giorgio Buchner. Vorrei soltanto richiamare l'attenzione del lettore su alcune caratteristiche del materiale che mi sono trovata a studiare.

Il materiale non era stratificato: non ho dunque, purtroppo, associazioni che permettano di stabilire sequenze inequivoche all'interno delle diverse classi rappresentate. Le indicazioni cronologiche, quando fornite, si basano: *a)* nei casi fortunati, su anfore simili, contestuate, dalla necropoli di San Montano; *b)* su confronti bibliografici.

Vorrei anche ricordare che si tratta sempre e solo di frammenti: talvolta significativi (labbro e collo, oppure il fondo, per esempio), più spesso non ben caratterizzati; e così ecco il secondo limite dello studio: nell'identificazione delle classi ho dovuto basarmi spesso sull'argilla. Sull'*osservazione* dell'argilla, per giunta, perché l'archeologo italiano non gode generalmente dell'accesso alle risorse dell'archeometria!

Ma, accanto a queste limitazioni, lo scarico Gosetti offre anche un grosso vantaggio: l'argilla è solitamente molto ben conservata. Talora comparivano incrostazioni, ma queste sono state perlopiù eliminate mediante un accurato lavaggio in sola acqua. Tracce di pittura o di ingubbiatura sono in genere chiaramente visibili. Per quanto concerne ingubbiature e scialbature, in particolare, queste non sono state alterate dal contatto col terreno, come è avvenuto, invece, sia nella stessa necropoli pithecusana della valle di San Montano, sia nelle necropoli campane dalle quali provengono gli esemplari studiati e pubblicati altrove da me stessa (1). Queste condizioni privilegiate di conservazione hanno permesso di comprendere, per esempio, che le anfore c.d. «massaliote» a pasta scura sono in realtà imitazioni di anfore marsigliesi, ciò che non avevo potuto stabilire sulla base degli esemplari campani che, pur integri, avevano perso ogni traccia di ingubbiatura (2).

---

(1) N. Di Sandro 1 e N. Di Sandro 2.
(2) N. Di Sandro 2.

Per Ciro Pierattini, archeologo.

Perché non è giusto che di archeologia sia dovuto morire.
Ti porto nel cuore, amico carissimo.

Desidero far presente che questo studio mi è stato reso possibile grazie ad una borsa di studio che mi è stata assegnata nel 1981 e poi riconfermata nel 1983 dalla Ellaina Macnamara Memorial Scholarship.

Vorrei ringraziare personalmente la dr. Ellen Macnamara per la cortese disponibilità e per la pazienza con cui ha seguito le fasi della mia ricerca. E vorrei ringraziare i drr. Giorgio Buchner e David Ridgway che mi hanno aiutato sul posto, prodighi di preziosi consigli che solo loro, in quanto gli archeologi direttamente interessati allo scavo e allo studio di Pithecusa, potevano darmi. Li ringrazio anche per avermi generosamente messo a disposizione il dattiloscritto del volume *Pithekoussai I* che, completo in ogni sua parte e atteso con ansia dal mondo archeologico, giace invece da anni in attesa di pubblicazione. In ogni mio riferimento alla necropoli è da ritenersi sottinteso il riferimento a questo volume.

Ringrazio ancora la direzione dell'Ecole Française de Rome. nelle persone dei drr. G. Vallet e M. Gras, per avermi offerto, con una borsa di studio di cui ho usufruito nel gennaio 1982, la possibilità di approfondire la mia ricerca attingendo alla ricca documentazione archeologica conservata nella biblioteca della Scuola.

La pubblicazione dell'opera è stata resa materialmente possibile, infine, per l'interessamento della dr. Mireille Cébeillac, ex direttrice del Centre Jean Bérard di Napoli, che ha voluto accogliere lo studio nei *Cahiers des Amphores*. Ringrazio caldamente Mireille, insieme con l'attuale direttore del Centro, dr. Olivier de Cazanove, e con la sig.na Marina Pierobon, che ha eseguito tutti i disegni contenuti nel testo.

PARTE PRIMA

LE ANFORE GRECHE, GRECO-ORIENTALI, GRECO-OCCIDENTALI E LE LORO IMITAZIONI

1. Le anfore di tipo SOS

Una produzione geometrica locale è attestata a Pithecusa da centinaia di frammenti di anfore caratterizzati prevalentemente da labbro semplicemente ingrossato e da collo svasato verso l'alto con pareti marcatamente concave. Il collo è decorato da frettolose linee ondulate orizzontali, la spalla e il ventre sono a bande. L'argilla è sempre piuttosto fine ma opaca, smorta, sia che tenda all'arancio o al rosa o al beige. La vernice è anch'essa sempre opaca, priva di splendore.

Individuare con certezza in questa massa di frammenti di grossi vasi quelli pertinenti ad anfore SOS è spesso difficile, specie quando si tratti — come è vero per la maggioranza dei frammenti stessi — di cocci piccoli o pertinenti al ventre, dunque non caratterizzati né dalla forma né dalla decorazione. Il compito è reso ancora più complesso per il fatto che convivono ad Ischia anfore di tipo SOS di diverse provenienze. Ciò emerge chiaramente dallo studio in cui A. Johnston e R.E. Jones hanno trattato, fra le altre, delle anfore SOS dalla necropoli e di alcuni dei nostri frammenti (1). Essi hanno suddiviso i campioni di argilla sottoposti a spettroscopia per emissione ottica in attici, euboici e di altra provenienza. Quando possibile, ho fatto mie le loro attribuzioni; negli altri casi ho dovuto procedere secondo il tradizionale metodo tipologico, che non permette di distinguere nettamente fra produzioni simili di centri diversi.

Certamente, accanto alle SOS importate, attiche e non, ve ne sono altre di imitazione locale. Queste si individuano di solito perché la sintassi decorativa del collo non è conforme a quella canonica. Un esempio tipico è l'anfora dalla tomba 476 della necropoli di San Montano. Un caso dallo Scarico Gosetti è invece il frammento SG 14, che accosta a casaccio elementi tratti dal repertorio SOS, evidentemente male interpretato nella sua sintassi.

Gli esemplari «canonici» della classe sono tutti riferibili alla fase più antica della produzione, che Johnston e Jones situano nell'ultimo quarto dell'VIII secolo. Il dato si accorda perfettamente con la cronologia delle anfore SOS da San Montano: le sepolture da cui provengono si datano tutte al LG II.

Pubblico solamente le schede relative ai 16 frammenti meglio riconoscibili. I frammenti da SG 17 a SG 47, infatti, sono non sagomati e spesso molto piccoli; oscillanti nell'argilla (da ben levigata e compatta a scistosa, e da un arancio distinto al nocciola) e nella vernice (dal nero al rosso, coprendo tutta la gamma tonale intermedia, con prevalenza di toni bruni), essi potrebbero riferirsi ad anfore di tipo SOS importate, ad anfore locali imitanti le SOS o ad anfore locali dipinte di altro repertorio, senza che per ora vi sia alcuna possibilità di controllo.

---

(1) A. JOHNSTON-R.E. JONES, P. 115 s.

Accanto alla sigla relativa alla mia classificazione (sempre preceduta da SG = Scarico Gosetti), riporto, ove esistano, sia la sigla adoperata da A. Johnston e R.E. Jones (preceduta da MV = Monte di Vico), sia il numero di inventario generale. Non tutti i frammenti studiati e siglati da Johnston e Jones compaiono nel loro articolo, già menzionato.

SG 1

MV 07 + 04 + 13; inv.: 170225
Tre frammenti ricomposti pertinenti alla parte inferiore del collo e all'attacco della spalla. Vernice per buona parte persa.
Fabbrica attica. Ultimo quarto dell'VIII sec. a.C.
Argilla beige rosato, dura e secca, contenente poca mica bianca puntiforme; frattura netta. Vernice nero-brunastra di aspetto metallico.
Collo cilindrico con la base segnata da una lieve rientranza, percettibile più agevolmente lungo la parete interna.
Si conserva parte della decorazione del collo: due gruppi di due linee ondulate verticali fiancheggiano un doppio triangolo racchiudente una X. Il motivo è sottolineato da due linee orizzontali (h 0,4) e da una fascia. Le linee ondulate si fermano 0,5 cm sopra la prima linea, mentre il triangolo vi si appoggia.
H: 7,2
collo: ∅ int., alla base: 12,1.
Bibl.: A. JOHNSTON-R.E. JONES, p. 116 nr. 15.

SG 2

MV 09; inv.: 170229
Frammento di collo.
Fabbrica attica. Ultimo quarto dell'VIII sec. a.C.
Argilla beige, con la parete interna tendente all'arancio, dura e dalla frattura netta. Vernice nera lucente, in parte persa.
Collo cilindrico.
Decorazione del collo: due gruppi di due linee ondulate verticali racchiudono due cerchi concentrici con una croce centrale. I cerchi sono stati eseguiti al compasso e il centro è rinforzato da un punto di vernice. Il motivo è chiuso in basso da due linee nere alte 0,45 cm.
H: ca 8.
collo: ∅ int., ric.: 12

La decorazione, in particolare l'elemento centrale, è tipica della produzione attica; tanto le linee ondulate che arrivano a toccare le linee orizzontali sottostanti, quanto i due cerchi concentrici con la croce centrale caratterizzano la produzione della fase più antica.

SG 3

MV 81; inv.: 170230
Frammento di labbro e collo.
Fabbrica attica. Ultimo quarto dell'VIII sec. a.C.

16

Argilla arancio crema, con inclusi calcarei e inclusi ferrosi rossicci, contenente poca finissima mica incolore. Vernice nera sfumante nel bruno-rossiccio, di aspetto metallico.

Labbro alto e sottile, sottolineato da uno spigolo ben pronunciato ma morbido; collo leggermente concavo.

Decorazione: labbro e spigolo sono interamente verniciati; sul collo un doppio triangolo racchiudente una X è affiancato da una linea ondulata verticale. Il motivo è sottolineato da due sciatte linee orizzontali sotto le quali inizia una fascia più ampia.

H: 11
labbro: h: 4
ꝑ int., ric.: 12,8.

SG 4

inv.: 170226

Frammento di labbro e collo.
Fabbrica attica. Ultimo quarto dell'VIII sec. a.C.
Argilla camoscio, piuttosto morbida, dalle pareti sottili; inclusi ferrosi color porpora sono presenti nell'impasto. Lucida vernice nera sfumante nel bruno.

Labbro convesso, alto e sottile, con l'orlo piatto, sottolineato da una lieve morbida sporgenza; collo cilindrico.

Decorazione: l'orlo è risparmiato; labbro e parte superiore dello spigolo sono verniciati; sotto lo spigolo, una linea orizzontale alta 0,5 cm chiude in alto un motivo formato da tre cerchi concentrici affiancati da una lunga linea ondulata verticale.

H: 7,7
labbro: h: 3,7
ꝑ int., ric.: 14,5

Per quanto la ruota sia di un tipo frequente in ambiente euboico, l'interno dell'anfora è risparmiato, a differenza di quanto avviene a Calcide; inoltre, la pasta richiama quella dei frammenti SG 3 e 5, più probabilmente di fabbrica attica. Una cauta attribuzione del frammento a fabbrica attica sembra proponibile.

SG 5

MV 03; inv.: 170228

Frammento di labbro e collo.
Fabbrica attica. Ultimo quarto dell'VIII sec. a.C.
Argilla arancio crema contenente pochi inclusi calcarei e radi inclusi ferrosi rossicci, con poca finissima mica incolore. Vernice di un bel nero deciso, solo a tratti sfumante nei toni più scuri del bruno.

Alto labbro a pareti convesse, sottolineato da uno spigolo morbido, poco rilevato; collo verticale.

Il labbro è verniciato, mentre lo spigolo è risparmiato. La decorazione del collo, non racchiusa fra linee orizzontali, consiste in una lunga linea ondulata verticale affiancante quello che, dalle tracce rimaste, sembra un doppio triangolo racchiudente una X.

H: ca 8.
labbro: h: 4,2
ꝑ int., ric.: 15.

SG 6

Piede e frammento della parte inferiore del ventre.

Fabbrica attica. Fase antica o media.

Argilla arancione, dura e pesante, con frattura concoidale, contenente grossi inclusi scuri ferrosi e inclusi calcarei. Vernice lucida nera, a tratti brunita.

Piede ad anello leggermente svasato, con la base d'appoggio piatta.

Le superfici esterne sono interamente verniciate di nero; tuttavia, sul fondo scuro risaltano fasce brune alte 0,5 cm, che, per la loro regolarità, sembrano prodotte intenzionalmente.

H: 7,1

piede: h: 2,7

base: ∅: int.: 10,5; est.: 13,8

Il fondo solo leggermente svasato indica probabilmente l'appartenenza del frammento ad un'anfora SOS attica della fase antica o media (secondo le indicazioni fornite nell'articolo di A. Johnston-R.E. Jones).

SG 7

MV 70; inv.: 170223

Frammento del collo con una frazione del labbro.

Fabbrica calcidese. Ultimo quarto dell'VIII sec. a.C.

Argilla arancio, dura, dalla frattura netta. Ingubbiatura arancio crema, sottile ma resistente, perfettamente aderente alla parete. Vernice degradante dal nero-brunastro al bruno.

Del labbro resta solo una traccia; spigolo arrotondato sotto il labbro; collo a pareti verticali.

Decorazione: l'interno del labbro è verniciato; sul collo, una linea orizzontale sotto lo spigolo e una sopra l'attacco della spalla racchiudono un doppio cerchio circoscritto ad un rombo dai lati concavi; ad un lato del motivo, eseguito col compasso, si conserva traccia di una linea ondulata verticale che tocca la linea orizzontale inferiore.

H: 9,7

collo: h: 7,7

∅ int., ric.: 12,2

Bibl.: A. Johnston-R.E. Jones, p. 116 nr. 10; tav. 16 b.

SG 8

MV 44; inv.: 170233

Frammento di spalla.

Fabbrica euboica (?).

Argilla arancione, dura, con inclusi ferrosi rossi; frattura concoidale; pareti sottili. Vernice nera, arrossata per un ampio tratto.

Spalla ampia a pareti convesse.

Decorazione: in una fascia risparmiata compresa fra due aree verniciate si sviluppano 5 linee orizzontali.

H: 9

L'altezza della fascia risparmiata e il numero insolitamente alto delle linee che la percorrono fanno propendere per un'attribuzione a fabbrica di Calcide.

SG 9

MV 77; inv.: 170227

Frammento del collo con attacco della spalla.
Fabbrica non attica. Ultimo quarto dell'VIII sec. a.C.
Argilla arancio smorto; frattura netta ma morbida; pareti sorprendentemente spesse. Vernice opaca sfumante dal nero-brunastro al bruno.
Collo verticale; imprecisabile l'aspetto della spalla.
Decorazione: una linea ondulata verticale raggiunge e interseca la linea orizzontale alla base del collo; a dx. di questa resta parte di una ruota a otto raggi; a dx. di quest'ultima, in basso, si nota una frazione di linea obliqua, quasi il lato di un triangolo. L'interno del collo è verniciato. L'esecuzione è affrettata.
H: 7,7
collo: ∅ int., ric.: 10,8
Bibl.: A. JOHNSTON-R.E. JONES, p. 116 nr. 11; tav. 16 b.

SG 10

MV 78; inv.: 170222

Frammento di labbro e collo, col punto d'attacco sup. di un'ansa.
Fabbrica non attica. Ultimo quarto dell'VIII sec. a.C.
Argilla arancio chiaro-camoscio, contenente poca mica puntiforme incolore; leggera scialbatura biancastra. Vernice sfumante fra il nero-brunastro e il bruno.
Labbro a sezione vagamente triangolare, con orlo quasi piatto e profilo convesso-concavo, sottolineato da uno spigolo sottile e prominente; collo verticale; attacco dell'ansa a sezione circolare.
Decorazione: l'orlo è verniciato; il labbro è risparmiato, ad eccezione di due righe (h 0,6 cm), una lungo il centro dell'altezza del labbro stesso, l'altra sopra lo spigolo; dell'ansa era verniciata almeno la costa. Sul collo resta solo parte di una ruota a cerchio singolo con quattro raggi, mentre mancano gli zig-zag laterali. Sotto l'ansa è una riga orizzontale e sotto questa, forse, un elemento circolare.
H: 10,6
labbro: h: 2,9
∅ int., ric.: ca 12
ansa: ∅: 3,5
Bibl.: A. JOHNSTON-R.E. JONES, p. 116 nr. 13; tav. 16 b.

SG 11

MV 79

Frammento di labbro e collo.
Fabbrica non attica. Ultimo quarto dell'VIII sec. a.C.
Argilla arancio rosato, dura, contenente pochi granelli scuri e opachi; frattura netta

ma rugosa; tessitura fitta. Vernice nera, intensa e opaca, sfumante nel bruno lungo i margini delle aree dipinte.

Grosso labbro dall'orlo largo e piatto, con profilo esterno convesso-concavo, sottolineato da uno spigolo assai prominente; collo cilindrico.

L'orlo e la parete interna sono verniciati; nessuna traccia di decorazione si osserva sulla parte restante del collo.

Sul collo si conserva parte di una lettera incisa: forse un *epsilon*.

H: 7,7

labbro: h: 3,3 (spigolo escluso)

Ø int., ric.: 10,5

Bibl.: A. JOHNSTON-R.E. JONES, p. 116 nr. 14; tav. 16b.

SG 12

MV 06; inv.: 170232

Quattro frammenti ricomposti pertinenti a parte del labbro e del collo.

Fabbrica attica (?).

Argilla arancione, morbida e grezza, contenente inclusi calcarei bianchi di dimensioni cospicue e diversi inclusi subangolari rosso scuro di taglia media (forse *grog)*; tessitura fitta. Vernice in prevalenza bruna, a tratti nerastra, per buona parte persa.

Labbro a profilo convesso-concavo (ne manca la metà superiore) sottolineato da uno spigolo morbido; collo leggermente concavo.

Il labbro conserva tracce di vernice; sul collo resta un doppio triangolo inglobante una X, sottolineato da tre linee orizzontali alte 0,4 cm.

H: 9,5

collo: Ø int., ric.: 13

La decorazione richiama quella delle anfore SOS di produzione attica; l'argilla, però, presenta inclusi di qualità e di taglia inconsuete per lo standard attico.

SG 13

MV 32; inv.: 170234

Frammento di labbro e collo.

Fabbrica non individuata.

Argilla color camoscio smorto, morbida e ben levigata, dalle pareti spesse; la frattura ha un aspetto «sporco», costellata di puntini scuri, impercettibili al tatto. Vernice sfumante dal nero-brunastro al bruno.

Semplice labbro arrotolato, impostato direttamente sul collo; collo a pareti concave.

Decorazione: l'interno è risparmiato; la parte superiore esterna del labbro è verniciata. La parte superiore del collo è percorsa da tre linee orizzontali dalle quali parte uno zig-zag verticale; accanto a questo, un breve tratto obliquo suggerisce l'esistenza, in origine, di un motivo triangolare.

H: 8

labbro: h: 2,1

Ø int., ric.: 15,4

Il labbro sembrerebbe quello di un'anfora à la brosse, ma il collo decorato esclude l'appartenenza alla classe; la pasta, dal canto suo, richiama per morbidezza quella di Samos e il labbro semplice arrotolato troverebbe confronto, in tal caso, in anfore del VI secolo circa. Nonostante le suggestioni che il frammento può dare, tuttavia, la sua provenienza resta assolutamente oscura.

SG 14

MV 16; inv.: 170231
Frammento di collo.
Imitazione locale (?) di anfora SOS.
Argilla arancio rosato, dura, dalle pareti molto spesse, con frattura netta e tessitura fitta. Vernice lucida nera, con ampie zone brune.
Collo cilindrico molto alto. Non si comprende se il frammento includa anche il labbro, che in tal caso non sarebbe distinto dal collo (questa sembra l'indicazione emergente della decorazione), oppure se del labbro non resti traccia nel frammento (in questo secondo caso il collo sarebbe alto almeno 15 cm, cioè quanto l'intero frammento).
Decorazione: dall'alto: una fascia nera interrotta in alto dalla frattura del vaso; due linee brune alte 0,6 cm; nell'area risparmiata del collo sono giustapposti senza ordine motivi tratti dal repertorio delle anfore SOS e motivi rientranti nella tradizione geometrica: uno stretto zig-zag orizzontale con i tratti curvi è situato sotto le due linee brune; l'area sottostante è occupata da un cerchio semplice, da un triangolo doppio inglobante una X e da un altro elemento circolare di cui si coglie solo una piccola parte dell'arco.
H: 15
collo: ⌀ int., ric.: 16,6
Probabilmente si tratta di un vaso di produzione locale che utilizza elementi decorativi tratti da un repertorio estraneo al ceramografo.

SG 15

Frammento di labbro.
Fabbrica attica (?).
Argilla arancio chiaro piuttosto grossolana, ruvida, contenente inclusi ferrosi e più piccoli inclusi calcarei. Vernice bruna, brillante, in parte persa.
Labbro a pareti convesse; una lieve concavità percettibile alla base del piccolo frammento lascia supporre che il labbro fosse sottolineato da uno spigolo, non conservato.
Labbro: verniciato.
H: 3,5
⌀ int., ric.: ca 20
La pasta richiama quella dei frammenti SG 4 e SG 5, probabilmente attici.

SG 16

Frammento del piede e della parte inferiore del ventre.
Fabbrica non individuata.
L'argilla si presenta arancio sotto il fondo e prevalentemente nocciola con macchie

di tonalità diverse sulla parete interna del fondo; contiene finissima mica incolore, mentre dei vacuoli indicano la presenza originaria di inclusi calcarei. Vernice opaca oscillante fra il nero e il bruno, applicata in modo irregolare sul tornio.

Piede leggermente obliquo; esternamente è smussato, con una rientranza di circa 50 gradi.

Le pareti esterne del piede sono verniciate.

piede: h: 2,1

         $\varnothing$ int., ric.: 12,4.

2. Le anfore corinzie

Le anfore corinzie sono numerose nello Scarico Gosetti, dove sono presenti sia la classe A (e la connessa serie denominata A¹), che la classe B della tipologia della Koehler (1).

L'attribuzione ad una delle due classi può effettuarsi, di solito, solo in base agli aspetti tipologici: l'argilla, infatti, è varia all'interno di ciascuna e non è possibile accettare senza riserve la distinzione effettuata dalla Koehler, la quale attribuisce alla classe A una pasta prevalentemente arancione, molto grezza, con grossi sgrassanti rosso scuro e grigi, e alla B la pasta più chiara, giallina, ben levigata e omogenea, priva di sgrassanti visibili in superficie. Se questa distinzione è vera in linea generale, le eccezioni sono abbastanza frequenti, specie nella prima classe. Così, se la maggior parte delle anfore corinzie A e A¹ si riconoscono per l'argilla molto grossolana, smagrita con tritume di pietra rossa di grossa taglia e dalla struttura subangolare, d'altro canto non mancano nella classe anfore di argilla ben depurata, con pareti più sottili, talora smagrita con fini granelli chiari o grigioneri, in alcuni casi associati con la consueta pietra rossa corinzia di recente riconosciuta come *mudstone* (2), ridotta, però a dimensioni confrontabili con quelle degli altri sgrassanti. Esempi di corinzie A realizzate in quest'argilla più fine, assai simile a quella indicata come tipica della serie B, sono i nostri frammenti SG 49, 56, 57 (corinzia A¹), 65, 67, 78. In alcuni casi questa pasta più fine presenta in superficie poca mica puntiforme incolore o argentea.

In misura molto più limitata, il discorso sulla compresenza di più tipi di pasta all'interno di una stessa classe si può applicare anche alle anfore corinzie B. Prevalente è qui l'impasto fine, talvolta difficile da distinguere da quello delle anfore marsigliesi a pasta chiara e leggermente micacea (come, per esempio, SG 88, 90, 91): alcuni esemplari mostrano la stessa pasta di SG 57, in altri l'impasto è ancora più fine e meglio depurato. In genere lo sgrassante è lo stesso impiegato per le A (mudstone e granelli bianchi o grigio-neri, associati o impiegati separatamente), ma ridotto a granelli finissimi, difficili da individuare a occhio nudo. Eppure, anche fra queste anfore della classe B non mancano esemplari che, tipologicamente non distinguibili dagli altri della serie, sono però in argilla assai grossola-

---

(1) Le anfore corinzie sono attualmente oggetto di studio da parte di C.G. Koehler. In una prima pubblicazione (C.G. KOEHLER, 1) la studiosa ha distinto le anfore corinzie nei due tipi A e B. In una successiva messa a punto (C.G. KOEHLER 2) ella ha distinto, nell'ambito del tipo A, un sottotipo, indicato come A¹. Rientrano in questo sottogruppo, prodotto all'incirca dal secondo quarto del V secolo a.C. alla metà del IV secolo, i nostri frammenti SG 57-61, 68 e 69.
(2) Cfr. C.G. KOEHLER 2, p. 451 nota 8.

na (3): fra questi, i frammenti SG 80 e 85. Essi, tuttavia, non raggiungono mai nelle pareti lo spessore delle corinzie A, dove tale spessore è giustificato dalle superiori dimensioni delle anfore stesse.

Alcune corinzie B, inoltre, presentano notevoli affinità d'argilla e tipologiche con anfore marsigliesi e greco-orientali. In questi casi, mancando nello Scarico esemplari interi, solo piccoli particolari possono aiutare a distinguere le serie, quali la presenza di un listello o di una risega sul collo (corinzie B), o di una scanalatura sotto il labbro, prima dell'attacco sul collo (marsigliesi) (4).

Avviene, in definitiva, che argille identiche sono adoperate per anfore delle diverse classi, ma anche — ed è questo che sorprende di più — che esemplari tipologicamente identici sono distinti da argilla e fattura profondamente diverse, specialmente nei gruppi A e A', dove è preclusa la possibilità di interpretare tali variazioni in termini di effetti di cottura o cronologici: prendiamo per esempio il frammento SG 57, pertinente ad un'anfora A', con labbro ad angolo acuto, in argilla ben depurata, omogenea e compatta, lavorata al tornio. Dallo Scarico provengono altri frammenti tipologicamente identici ma rispondenti a tutt'altra fattura: modellati senza tornio e in argilla grossolana (valga come esempio il frammento SG 58). Fra i vari esemplari non può esistere un grosso salto cronologico perché il tipo è circoscritto fra la prima metà del V secolo a.C. e la metà del quarto, ma subisce, entro quest'arco cronologico, successive modifiche che restringono a pochi decenni la durata di ciascuna varietà.

Molto più modeste sono, invece, le variazioni riscontrabili fra gli impasti delle anfore corinzie B: qui, ad eccezione dei casi citati, le differenze si possono generalmente ricondurre al diverso esito della cottura e riguardano prevalentemente il colore: per esempio, l'argilla fine assume una tonalità verdina se viene sovrariscaldata (cfr. SG 83).

Al contrario, la natura macroscopica delle differenze rilevate fra le paste della classe A suggerisce che in questa rete di produzione sia ad un tratto intervenuta una spaccatura che abbia contrapposto agli artigiani o alle officine che seguivano le modalità di lavorazione tradizionali un gruppo innovatore che abbia introdotto tecniche e paste comparabili con quelle impiegate nella produzione dei contenitori della classe B, oppure che officine previamente specializzate nella produzione delle anfore B abbiano esteso i loro interessi anche alle anfore olearie. Comunque sia, il repertorio formale A rimase identico per entrambe le tecniche (ad indicare identità di contenuto?).

Tale spaccatura avviene al più tardi con l'apparizione delle anfore a labbro acuto denominate A', un momento che per ora non è possibile datare con certezza a Pithecusa: finora, infatti, la necropoli di San Montano ha restituito due sole anfore corinzie, entram-

---

(3) C.G. KOEHLER 2, p. 452, nel discutere l'attribuzione del tipo B, spiega che: «The rather finer clay used for Corinthian B amphoras... in some cases matches that of other Corinthian coarse wares... The fabric of other jars of the same class, however, has been shown to have the same composition as that of pottery made in Corcyra». La suggestione è stata confermata di recente da analisi fisiche: cfr. C.G. KOEHLER 3, p. 284 nota 2: «Recently, analyses of clay using optical emission spectroscopy, Mössbauer spectroscopy, and neutron activation have shown that type B was manufactured in both Kerkyra and Corinth between the late 6th and early 3rd centuries».
(4) Cfr. C.G. KOEHLER 2, p. 452 s: qui sono indicate anche altre differenze utili a distinguere anfore corinzie B da anfore marsigliesi o «ioniche»; poiché le dissimiglianze riguardano soprattutto le proporzioni fra le parti delle anfore in questione, le ulteriori indicazioni fornite non risultano utilizzabili per lo studio dei frammenti dallo Scarico Gosetti.

be relative ad un momento arcaico della serie A, mentre la classe B non è — o non è ancora — rappresentata. Un'anfora identica a SG 57, in argilla fine e chiara, proviene dalla tomba 350 di Pontecagnano, datata dal contesto alla metà del V secolo a.C. (5). Ulteriori indicazioni cronologiche sono fornite di volta in volta, quando i frammenti ammettono confronti. Inoltre, le anfore corinzie A sono presentate in catalogo, nei limiti del possibile, in ordine cronologico. Vi si distinguono: un primo momento, caratterizzato dal labbro piatto aggettante sul collo; questo gruppo (da SG 48 a SG 56) pare trovi il suo confronto più immediato nell'anfora dalla tomba 702 della necropoli di San Montano, che G. Buchner e D. Ridgway datano al LG I o II, fermo restando che labbri simili continuano poi a lungo — basti per questo considerare le serie illustrate in C.G. KOEHLER 1, tavv. 13 e 14 (dal VII al V sec. a.C.).

Segue il gruppo di anfore da SG 57 a SG 61, caratterizzate da ampio labbro obliquo, meglio circoscrivibili fra la I metà del V e la metà del IV sec. a.C. Anche di questo gruppo C.G. KOEHLER 1 fornisce un'ampia esemplificazione nelle tavv. 15-17. Di recente, come si è detto sopra, ella ha denominato il gruppo A¹.

Le anfore corinzie B sono state identificate da poco tempo come tali: è pertanto ancora in corso un generale riesame degli esemplari della classe confluiti nel passato in altre categorie, e dunque le indicazioni cronologiche sono ancora piuttosto generiche. Anche in questo caso propongo le indicazioni fornite dalla Koehler, che situa la classe fra il 525 e la 2ª metà del III sec. a.C. (6).

La presenza di altre anfore corinzie B in Campania è segnalata in N. DI SANDRO 1, pp. 5-7.

2a. Le anfore corinzie A e A¹

SG 48

Frammento di collo e labbro, con punto di attacco di un'ansa.

Argilla arancione, smagrita con tritume di pietre grigio-nere di grossa taglia, abbondanti ed evidenti anche in superficie; scialbatura biancastra. Modellato a mano senza tornio e probabilmente lisciato con una spazzola dura.

Labbro piatto, fortemente aggettante sul collo, avente spessore medio di un centimetro e fattura assai irregolare; in corrispondenza del punto di attacco dell'ansa si inclina verso l'alto. Collo alto e largo, con pareti verticali e fortemente irregolari. L'attacco dell'ansa suggerisce per questa una sezione circolare, schiacciata in prossimità dell'attacco stesso.

H: 15
labbro: largh.: ca 3,5
    spess.: 0,8 ÷ 1,3
⌀ int., ric.: 13
  ansa: sez.: 5,4 × 3,8
Cfr. C.G. KOEHLER 1, tav. 13.8, attribuita al VII-VI secolo.

---

(5) N. DI SANDRO 1, p. 6.
(6) C.G. KOEHLER 3, p. 284 nota 2. Si vedano anche C.G. KOEHLER 1, tav. 39, e C.G. KOEHLER 2, p. 452 ss.

SG 49

Frammento di labbro e collo.
Argilla arancio crema con nucleo tendente al grigio chiaro, smagrita con sabbia bianca e granelli grigio-neri, con radi inclusi rosso scuro; tessitura fitta.
Labbro piatto aggettante su collo cilindrico.
Sul collo è stato inciso a crudo, e quasi certamente con un compasso, un cerchio, interrotto in basso dalla frattura del vaso. A dx. e sopra l'arco di cerchio si distinguono due segni assai sfrangiati, incisi dopo la cottura: ⅂ /̵ . Il secondo dei due sembra proseguisse sulla parte mancante.
H: 7,6
labbro: largh.: ca 3
       spess.: 1,4
ƀ int., ric.: 13,8

Cfr.: C.G. KOEHLER I, tav. 13. 8. Probabilmente l'anfora rientra nello stesso ambito cronologico della precedente: VII-VI secolo a.C., nella tipologia Koehler.

SG 50

Frammento di labbro e collo.
Argilla arancione con nucleo grigio, smagrita con pietruzze subangolari rosso mattone e con granelli neri spigolosi di taglia media.
Grosso labbro piatto fortemente aggettante sul collo, segnato da una lieve depressione lungo lo spessore ingrossato; collo verticale.
H: 8,2
labbro: largh.: 5 ÷ 5,4
       spess.: 2 ÷ 2,5
ƀ int., ric.: 15,2

Cfr. J. BOARDMAN-J. HAYES I, nr. 1422; J. BOARDMAN-J. HAYES 2, nr. 2255.

SG 51

Frammento di labbro e collo, con punto d'attacco di un'ansa.
Argilla arancione, diffusamente grigia in frattura, smagrita con granelli neri di taglia prevalentemente media e con granelli bianchi dagli spigoli aguzzi; scialbatura data a spazzola. Fattura grossolana, probabilmente senza tornio.
Grosso labbro piatto fortemente aggettante sul collo, con angoli «morbidi»; collo verticale; ansa grossa a sezione circolare irregolare, impostata subito sotto il labbro.
H: 9
labbro: largh.: 4,5
       spess. 1,8 - 2
ƀ int., ric.: 23,5 ca
∅ ansa: 6,5 (max)

Il frammento certamente rientra anch'esso fra i più antichi della classe attestati nello

Scarico Gosetti, databili dal VII secolo, secondo la cronologia della Koehler. Questa data-zione deve però probabilmente essere alzata a Pithecusa: SG 51, infatti, per quanto con i dubbi che sempre accompagnano lo studio di un frammento, sembra ammettere un con-fronto con l'anfora corinzia dalla tomba 702 di San Montano, che il corredo data al LG I o II (2ª metà dell'VIII secolo, dunque). Credo che, analogamente, possa essere attratta più in alto anche la cronologia dei frammenti già considerati, SG 48-50.

Per una nota sulla evoluzione della serie corinzia A, con riferimento specifico alle an-fore della classe rinvenute in Campania, cfr. N. DI SANDRO 1, pp. 5-6.

SG 52

Frammento di labbro e collo, con parte del punto di attacco di un'ansa.

Argilla arancione, smagrita con pietre grigio-nere di grossa taglia, spigolose e dure, molto frequenti ed evidenti anche in superficie. Modellato senza tornio e probabilmente lisciato con una spazzola dura, come suggeriscono sottili e ravvicinati segni dall'orienta-mento incostante.

Labbro piatto fortemente aggettante sul collo; collo verticale; ansa a sezione circolare irregolarmente schiacciata.

H: 6,5
labbro: largh.: 4
            spess.: $1,7 \div 1,9$
ɸ int., ric.: 13 ca

Cfr. il commento al frammento SG 51.

SG 53

Frammento di labbro.

Argilla arancione, smagrita con tritume di pietra rosso scuro e con granelli neri, bian-chi e incolori traslucidi generalmente piuttosto piccoli.

Labbro piatto fortemente aggettante sul collo, percorso da una depressione lungo lo spessore, che decresce verso l'esterno.

H: 3
labbro: largh.: 4,5
            spess. $0,8 \div 2,1$
ɸ int., ric.: 11,5

Cfr. SG 50.

SG 54

Frammento di labbro e collo.

Argilla arancione, con nucleo grigio scuro dove la parete è più spessa; smagrita con pietruzze subangolari rosso scuro e con granelli bianchi. Scialbatura crema.

Labbro piatto aggettante sul collo verticale.

26

H: 6,5
labbro: largh.: 3,6
      spess.: 1,4 ÷ 2
♭ int., ric.: 13,2.

SG 55

Frammento di labbro e collo.
Argilla arancione, nucleo di tonalità più smorta; smagrita con pietre aguzze rosso scuro di grossa taglia. Scialbatura crema. Modellato al tornio.
Grosso labbro piatto dagli angoli smussati, fortemente aggettante sul collo; collo verticale dalle pareti spesse.
H: 6,9
labbro: largh.: 5,3
      spess.: 1,8 ÷ 2,5
♭ int., ric.: 15 (?)

SG 56

Frammento di labbro.
Argilla gialla con nucleo grigio, smagrita con granelli neri e con altri bianchi, meno frequenti; si notano anche inclusi incolori traslucidi. La frattura è dura, ruvida la superficie.
Spesso labbro piatto; il profilo interno è inclinato ad imbuto.
labbro: largh.: 2
      spess.: 1,3 ÷ 2,1
♭ int., ric.: 13,2.

SG 57

Parte superiore di un'anfora, comprendente il labbro e il collo fino all'attacco sulla spalla, con una parte della spalla stessa ed entrambe le anse.
Argilla molto chiara e ben depurata, uniformemente giallina in superficie e in frattura, priva di sgrassanti visibili.
Labbro ampio, fortemente aggettante sul collo, con l'orlo inclinato verso il basso e verso l'esterno; collo alto a pareti leggermente concave; anse a sezione circolare ingrossate in alto: impostate subito sotto il labbro, scendono con lieve rientranza fino a fermarsi alla base del collo.
Sul collo, leggermente più in alto e a dx. rispetto al centro del campo fra le anse, è un cerchietto inciso a crudo.
H: 19,5
labbro: largh.: 3,8
      spess.: 0,8 ÷ 2,7
♭ int.: 9,7
anse: ∅ 3,1.

L'anfora si confronta perfettamente con quella dalla tomba 350 di Pontecagnano, che il contesto situa intorno alla metà del V sec. a.C.

Il tipo, che C.G. Koehler ha denominato A', perdura almeno fino alla metà del IV secolo.

Cfr.: N. Dɪ Sᴀɴᴅʀᴏ ɪ, p. 6 e note 15, 16 e 17.

SG 58

Tre frammenti combacianti pertinenti a parte del labbro, collo e spalla, con un'ansa.

Argilla arancio-crema, smagrita con tritume di pietra rosso scuro di grossa taglia; leggera scialbatura data a spazzola, apparentemente sul tornio. Il collo è, comunque, modellato a mano.

Grosso labbro obliquo fortemente aggettante sul collo; collo cilindrico; spalla ampia e bassa; ansa a sezione circolare appiattita nel senso della lunghezza nella sua parte superiore, impostata subito sotto il labbro ma senza toccarlo.

H: 17
labbro: largh.: 4
       spess.: $1,2 \div 2,3$
Ø int.: 11
collo: h: 12
ansa: sez.: $4,6 \times 3,5$

Cfr.: C.G. Kᴏᴇʜʟᴇʀ ɪ, tav. 15. 39 (V-IV secolo).

SG 59

Frammento di labbro e collo, con punto d'attacco dell'ansa.

Argilla arancio-crema smagrita con poche pietre rosso scuro di media taglia e spigolose, e con granelli grigio-neri, anch'essi di media grandezza e taglienti.

Labbro obliquo, schiacciato sopra l'ansa; ansa a sezione circolare.

H: 5,2
labbro: largh.: 3,6
       spess.: $1,1 \div 2,9$
Ø int.: 11,4
Ø ansa: 3,7

Cfr.: C.G. Kᴏᴇʜʟᴇʀ ɪ, tav. 15. 43 e 15. 48 (V-IV secolo).

SG 60

Frammento di labbro e collo.

Argilla arancione con nucleo grigio, smagrita con poco tritume di pietra rosso scuro di media grandezza, rari granelli bianchi e abbondante tritume di pietra grigio-nera dagli spigoli aguzzi e di media taglia.

Labbro obliquo, con la faccia superiore convessa; collo verticale, modellato senza tornio.

H: 9,4
labbro: largh.: 4,2
       spess.: 1 ÷ 2,4
ɓ int., ric.: 13,8.

SG 61

Frammento di labbro.
Argilla arancio chiaro, con nucleo porpora scuro, smagrita con tritume di pietra grigio-nera di grossa taglia e a spigoli vivi.
Grosso labbro obliquo.
H: 4,5
labbro: largh.: 3,8
       spess.: 1 ÷ 2,9
ɓ int., ric.: 8,4

I frammenti SG 57 - 61 rientrano tutti nel gruppo denominato A¹, di cui si è già accennato nell'introduzione a questo capitolo.

SG 62

Tre frammenti combacianti relativi a parte del collo e di un'ansa, con l'attacco sulla spalla.
Argilla giallo-verdina smagrita con grosse pietre rosso scuro e azzurrognole; l'impasto è secco e tende a sfaldarsi.
Collo cilindrico; spalla piatta; ansa a sezione circolare, impostata verticalmente sulla spalla e sul collo (di quest'ultimo attacco non resta traccia).
H: 13 ca
∅ inf. ansa: 2,8
Per il colore insolito dell'argilla cfr. il commento al frammento SG 83.

SG 63

Frammento della base del collo, con attacco sulla spalla.
Argilla rosa-arancio, grigiastra in frattura, smagrita con pietre rosso scuro subango-lari di medie dimensioni e con pietre nere dalle medesime caratteristiche di taglia e di struttura.
Collo verticale, modellato probabilmente senza tornio.
H: 7,7.

SG 64

Frammento della base del collo, con attacco sulla spalla.
Argilla rosa-arancio, grigiastra in frattura, smagrita con pietre rosso scuro e nere di media taglia e spigolose.
Collo verticale; lavorazione rozza, probabilmente senza tornio.

H: 6,7

Collo: ∅ int. alla base, ric.: 17,5.

Il frammento potrebbe appartenere allo stesso vaso a cui appartiene il precedente, SG 63, anche se i due pezzi non combaciano.

SG 65

Tre frammenti combacianti pertinenti al fondo di un'anfora.

Argilla arancio crema smagrita con granelli bianchi di taglia medio-piccola e con radi, spigolosi inclusi rosso scuro; frattura dura e netta; la superficie interna presenta numerose scaglie di mica dorata di cospicue dimensioni e una maggiore densità di mica argentea puntiforme.

Fondo piano, con la parete esterna smussata; le pareti del ventre partono dal basso con una concavità subito corretta. Le pareti interne presentano diffuse macchie nerastre.

H: 9,3

∅ piede: 7

Il frammento presenta non pochi problemi di attribuzione: la forma quanto l'argilla si prestano ad essere interpretate, in particolare, come marsigliesi o come corinzie A: si confronti, per esempio, il tipo 1 c della classificazione di Michel Py (7), caratterizzato anch'esso dal fondo piano e in argilla comparabile con la nostra: questo tipo, definito provvisoriamente «ionico-massaliota» dal Py, è stato invece accettato come marsigliese da Guy Bertucchi (8). Tuttavia, che anche l'argilla corinzia possa presentare della mica emerge con chiarezza anche solo dando una scorsa al materiale dagli scavi di Corinto pubblicato annualmente a cura della Scuola Americana in *Hesperia*. V. Grace scrive, per esempio, relativamente ad anfore corinzie B (e già abbiamo notato la compresenza di due tipi di impasti principali per la serie A): «The clay of this series is buff, sometimes greenish, sometimes pinkish. It is fine-grained and has little or no mica» (9).

Personalmente propendo per l'attribuzione a fabbrica corinzia A, sulla base del confronto con l'anfora nr. 29 pubblicata in KOEHLER I, confronto che mi sembra il più calzante fra i vari in qualche modo proponibili.

SG 66

Fondo con una piccola porzione della parte inf. del ventre.

Argilla arancio-bruna a tessitura compatta, ricca di inclusi piatti rosso scuro di media taglia; presenta anche granelli neri e bianchi di taglia piccola.

Fondo piano, pieno, con faccia esterna smussata alla base; le pareti del ventre partono dal basso con una concavità subito corretta.

H: 5

∅ piede: 6,2

---

(7) M. Py, fig. 1 e p. 3.
(8) Comunicazione personale nel corso del Seminario di Studi sulle Anfore Arcaiche, tenutosi a Valbonne il 5-6 nov. 1982.
(9) V. Grace in Ch. Boulter, p. 108.

L'attribuzione ad un'anfora corinzia A è incerta. Il frammento potrebbe rientrare per tipologia anche fra le anfore marsigliesi: cfr. il tipo l c della classificazione di Michel Py; inoltre, gli inclusi rosso scuro differiscono da quelli della produzione corinzia — sempre a struttura subangolare — e si accostano notevolmente ai *nodules rouges* (10) delle anfore marsigliesi.

Per anfore corinzie A con fondo pieno si confronti invece l'esemplare nr. 19 della Koehler.

Vale forse la pena ricordare che i rapporti fra le classi corinzie (A e B) e le anfore c.d. «ioniche» o «ionico-massaliote» non sono ancora chiari, e che da anni si indaga sulla loro possibile parentela; in particolare, si cerca di verificare se, in origine, si trattasse di una sola produzione condivisa da più centri, oppure in che direzione si siano attuati eventuali influssi (11).

SG 67

Fondo e parte del ventre.

Argilla giallina, rosa-arancio in frattura, dalla tessitura compatta, fine, smagrita con granellini bianchi e neri; in superficie sono riconoscibili pochi pezzetti di pietra rosso scuro.

Base piana con fondo ingrossato per un'altezza di 1,1 cm; sopra l'ingrossamento si avvertono due sottilissime linee rilevate che a tratti si perdono; dalla base le pareti del ventre si alzano con una concavità subito corretta.

H: 12,5
∅ fondo: 9
Cfr.: C.G. Koehler 1, anfora nr. 18.

SG 225

Frammento di fondo e parte del ventre.

Argilla grossolana beige rosato, coperta da leggera scialbatura bianca, a tratti rosata; smagrita con abbondanti granelli bianchi.

Base piana con fondo ingrossato per un'altezza di 1,5 cm; dalla base le pareti del ventre si alzano con una concavità subito corretta.

H: 9,4
∅ fondo, ric.: 8,5.

SG 68

Fondo e parte del ventre.

Argilla arancio vivo smagrita con grossi pezzi di pietra rosso scuro dagli spigoli vivi e taglienti; frattura concoidale.

Breve puntale troncoconico pieno evidenziato da una scanalatura all'attacco del ventre; ventre slanciato.

---

(10) M. Py, p. 3.
(11) Cfr. C.G. Koehler 2, p. 453 s.

H: 12
puntale: h: 2,5
$\emptyset$ base: 3

Il frammento è probabilmente da riferirsi ad un'anfora del tipo A¹, confrontabile con gli esemplari 44 o 51 in C.G. KOEHLER I.

SG 69

Fondo e parte del ventre.
Argilla giallognola smagrita con pochi pezzi di pietra rosso scuro; l'impasto è duro e compatto.
Breve puntale troncoconico pieno, evidenziato da una scanalatura all'attacco del ventre; ventre slanciato.
H: 7
puntale: h: 2,8
$\emptyset$ base: 2, 8

L'argilla è simile a quella delle corinzie B; tuttavia, l'inclinazione delle pareti fa supporre un ventre slanciato, più caratteristico del tipo A¹. Cfr. gli esemplari nrr. 44 e 51 dello studio C.G. KOEHLER I.

SG 70

Ansa di anfora frazionaria (?), con piccola parte della spalla, in due frammenti combacianti.
Argilla arancione con scialbatura arancio-crema; impasto morbido, piuttosto omogeneo e compatto nonostante la presenza dei tipici grossi inclusi rossi a struttura subangolare.
Sottile ansa a bastoncello ingrossata presso l'attacco sup., con lieve curva subito sotto l'attacco; spalla piatta. L'attacco inf. dell'ansa è sulla spalla, accanto alla base del collo.
H: 13
$\emptyset$ sup.: 3
Si tratta di una tipica ansa di anfora corinzia A, identica tipologicamente a quella del frammento SG 57, salvo che per le dimensioni minori: è infatti più bassa e più sottile delle anse di anfore corinzie di grandezza normale: penso che questo esemplare sia da riferirsi ad un'anfora frazionaria, per altro non attestata fra i restanti frammenti dallo Scarico Grossetti.

SG 71

Due frammenti non combacianti ma probabilmente pertinenti alla stessa anfora: a. ansa; b. frammento di collo.
Argilla rosa con scialbatura crema e nucleo arancione, smagrita con pietruzze a spigoli vivi di cui la frattura vecchia non mostra bene il colore; impasto fine e morbido, dall'aspetto «grasso».

Ansa a bastoncello ingrossata presso l'attacco sup.; qui è anche visibile un segno provocato dal labbro che, evidentemente, vi si appoggiava. Collo cilindrico.

Ansa: sez. sup.: 4,1 × 3,2

   $\varnothing$ inf.: 2,7

collo: H: 8,6

I due frammenti non combaciano, ma l'argilla assolutamente identica sembra indicarne l'appartenenza allo stesso vaso.

SG 72

Ansa.

Argilla rosa-arancio smagrita con grosso tritume di pietra rosso scuro dagli spigoli aguzzi; leggera scialbatura a spazzola.

Ansa a sezione circolare con la parte sup. leggermente appiattita nel senso della lunghezza; una schiacciatura presso l'attacco sup. indica che il labbro la toccava. Fattura irregolare.

$\varnothing$: 3,7.

SG 73

Ansa.

Argilla arancione dal nucleo grigio, smagrita con pietre rosso scuro di grossa taglia e a struttura subangolare.

Ansa a sezione circolare, appiattita nella parte sup. nel senso della lunghezza così da formare un gomito.

$\varnothing$: sup.: 4,4

  sotto il gomito: 5,1

  inf.: 4,6.

. SG 74

Ansa.

Argilla arancione smagrita con abbondante e grosso *grit* bianco e con minor densità di pietre rosso scuro a spigoli vivi; scialbatura crema.

Ansa a sezione circolare lievemente ricurva, appiattita in alto nel senso della lunghezza.

$\varnothing$ sup: 3,5.

SG 75

Frammento di ansa.

Argilla arancio crema con nucleo tendente al grigio, smagrita con pietre rosso scuro di media taglia e con grani grigio-neri, anch'essi di dimensioni medie.

Ansa a sezione circolare appiattita in alto.

$\varnothing$: sup.: 5,8

  inf.: 4,7.

SG 76

Frammento di ansa.
Argilla arancio crema con nucleo grigio, smagrita con pietre rosso scuro a struttura subangolare.
Ansa a sezione circolare.
$\emptyset$: 5,7.

SG 77

Frammento di ansa.
Argilla giallo crema in superficie; nucleo grigio chiaro nettamente distinto dallo strato esterno; l'impasto è smagrito con pietre grigio-nere e rosso scuro, di grossa taglia, spigolose, ed è molto pesante. Una sottile scialbatura data a spazzola attenua l'evidenza degli sgrassanti in superficie.
Sezione irregolarmente circolare.
$\emptyset$: 5,8.

SG 78

Frammento di ansa.
Argilla rosa crema, uniforme anche in frattura; scialbatura applicata a spazzola.
Ansa a sezione circolare, appiattita nel senso della lunghezza.
$\emptyset$: 4.

SG 79

Frammento di collo con il punto d'attacco di un'ansa.
Argilla rosa crema smagrita con pietre rosso scuro e grigio-nere di grossa taglia e dagli spigoli vivi.
Ansa a sezione circolare.
$\emptyset$ ansa: 4,7.

2 b: Le anfore corinzie B

SG 80

Cinque frammenti combacianti che permettono di ricostruire completamente il labbro di un'anfora, con buona parte del collo, un'ansa e un tratto della spalla.
Argilla granulosa, arancio in superficie, nocciola in frattura, con scialbatura (?) crema; smagrita con pietruzze rosso scuro, bianche (plagioclasio?) e nere, piuttosto piccole. Sulla superficie interna si coglie la presenza di pochi puntini di mica incolore o argentea.
Labbro arrotolato a sezione piena, sottolineato sul collo da un listello alto 1,2 cm, assente sopra l'ansa; collo cilindrico; spalla piatta ben distinta dal collo; ansa a sezione ovale, impostata fra il collo e la spalla, sulla quale scende con lieve divergenza.

H: 13,7
ɓ: 14,2
labbro: h: 2,8
     spess.: 2
collo: h: 8,6
ansa: largh.: 3,3

L'anfora è del tipo con orlo arrotolato pieno e listello sul collo che M. Slaska (12) distingue da quelle «ionico-marsigliesi», indicando la possibilità di inserirlo nella classe corinzia B. Il nostro esemplare, in effetti, trova confronto negli esemplari 214 e 216 della KOEHLER I.

SG 81

Frammento corrispondente a metà del labbro e a una frazione del collo.
Argilla arancione con superficie più pallida, smagrita con abbondanti piccoli granelli bianchi; rade scaglie di mica argentea.
Labbro pieno a sezione semicircolare, con la faccia superiore appiattita, sottolineato sul collo da un listello piatto alto poco meno di 1 cm; collo cilindrico. Il labbro appare schiacciato nella parte inferiore, sopra il punto d'attacco di un'ansa: dunque, l'ansa probabilmente sormontava il proprio punto di attacco.
H: 9,5
ɓ int.: 13,3
labbro: h: 2,5
     spess.: 2

Si confronti, in C.G. KOEHLER I, la tendenza, illustrata dalla serie nrr. 216-238 bis, a spingere le anse più in alto, con la conseguente modifica dell'aspetto del labbro, che già in questo esemplare da Ischia presenta la propria max. espansione più su del centro. La serie illustrata si sviluppa fra il VI e il V secolo.

SG 82

Frammento di labbro e collo, con l'attacco di un'ansa.
Argilla dura, beige rosato, con nucleo tendente al grigio dove la parete ha spessore maggiore; smagrita con quarzo e abbondanti granelli bianchi opachi (plagioclasio?) di piccola taglia e con pochi inclusi ferrosi; frattura ruvida e tagliente; parete esterna scialbata.
Labbro pieno ripiegato su se stesso, con sezione allungata; sul collo si rileva appena la presenza del piatto listello perché il frammento si riferisce alla regione circostante l'ansa, dove il listello, appunto, si perde. Anse a sezione ovale sormontanti il punto d'attacco.

---

(12) M. SLASKA I, p. 288 e figg. 21, 22, 23.

H: 8,2

Ƀ int., ric.: 12

labbro: h: 3,1

      spess.: 1,6

listello: h: 1,2

ansa: sez.: $3,7 \times 1,8$

Si veda il commento al frammento precedente.

SG 83

Frammento di labbro e collo, con l'attacco di un'ansa.

Argilla verdina molto fine, contenente granelli di sabbia neri e pochi grossi inclusi bianchi; frattura netta e tagliente.

Labbro arrotolato a sezione piena, sottolineato sul collo da un listello alto 1,5 cm; collo verticale; ansa a sezione ovale.

H: 8,8

Ƀ int., ric.: 13

labbro: h: 2,9

      spess.: 2,2

L'argilla corinzia del tipo più fine assume una colorazione verdina se esposta a temperature troppo elevate: si veda, per es., in CH. K. WILLIAMS II - J. MACINTOSH - J. FISHER, a p. 4, la descrizione dell'oggetto nr. 2: «Hard Corinthian clay overfired to green». Cfr. anche C.G. KOEHLER 1, p. 3: «Its usual colour is beige... sometimes turning green with higher kiln temperatures»: e C.G. KOEHLER 2, p. 452.

Che il frammento appartenga ad un'anfora corinzia B è inoltre provato dal confronto tipologico con SG 80, la cui argilla è indiscutibilmente corinzia: le due anfore hanno perfettamente identici il diametro della bocca e la sezione del labbro.

SG 84

Frammento di labbro e collo con l'attacco di un'ansa.

Argilla beige rosato, omogenea anche in frattura, smagrita con abbondanti granelli bianchi e neri di piccola taglia, con alcuni inclusi bianchi più grandi.

Labbro pieno ripiegato su se stesso, a sezione allungata, sottolineato sul collo da un piatto listello; collo cilindrico; ansa a sezione ovale sormontante il punto di attacco senza toccare il labbro.

H: 8,7

Ƀ int., ric.: 14

labbro: h: 3,3

      spess.: 1,8

listello: h: 0,9

ansa: $\varnothing$: 3,2.

SG 85

Frammento di labbro con una piccola parte del collo.

Argilla arancione, granulosa; la superficie esterna è molto deteriorata; si presenta ruvida, cosparsa di granelli bianchi di taglia media e piccola, e neri, piccoli, con pochissima mica argentea puntiforme. La superficie interna è molto più uniforme, con una leggera scialbatura sulla quale si nota solo la finissima mica: probabilmente in origine una simile scialbatura rivestiva anche l'esterno.

Labbro piccolo, ripiegato su se stesso, a sezione semicircolare, sottolineato sul collo da un listello piatto; in sezione vi è una piccolissima fessura a goccia. Collo probabilmente verticale.

H: 5,6
Ø int., ric.: 12,6
labbro: h: 2,9
      spess.: 1,8
h listello: 0,8

SG 86

Fondo con parte del ventre.

Argilla giallo chiaro molto fine, omogenea anche in frattura, con tessitura compatta e senza sgrassanti evidenti.

Fondo a punta troncoconica, apparentemente separato dal ventre da una scanalatura ma in realtà lavorato con il resto del vaso; il profilo della parete suggerisce un ventre espanso.

H: 9
punta: h: 3,3
     Ø: 3

Che in un'altezza di soli 3-4 cm le pareti del ventre si allarghino ad un diametro di 18 cm suggerisce un corpo piuttosto basso ed espanso per quest'anfora, che pertanto tenderei ad attribuire alla classe corinzia B piuttosto che alla A¹, come per i frammenti SG 68 e 69.

Una minima, vaga indicazione cronologica potrebbe essere fornita da quanto la KOEHLER I, osserva a p. 37 a proposito del puntale: «Until the third quarter of the fourth century a groove is incised around it near the bottom to suggest a separate toe».

SG 87

Frammento di ansa con attacco superiore, bollata.

Argilla scistosa, si sfalda al solo toccarla. Il nucleo è arancio, racchiuso in un sottile strato verdastro, a sua volta coperto da un'ingubbiatura a tratti giallo crema, a tratti rosata, increspata e con bolle d'aria; non si riconoscono sgrassanti.

Ansa a sezione ovale, impostata sulla parete verticale del collo. Il bollo è profondamente impresso subito dopo l'attacco.

Bollo rettangolare racchiudente una palmetta (?).
Ø ansa: 3,4×2
bollo: 1,5×1,9

L'argilla è del tipo corinzio più fine, resa scistosa, «secca», e di tonalità verdastra dalla cottura a temperatura eccessiva: cfr. il commento al frammento SG 83.

Per quanto riguarda il bollo, la Koehler riporta la presenza di palmette *alla base* di anse di anfore corinzie A (13), mentre segni epigrafici e rappresentazioni di anfore caratterizzerebbero alcune anfore B (14). Date la qualità dell'argilla e la diversa posizione del bollo su questa ansa (presso l'attacco superiore anziché alla base dell'ansa stessa), considerato che esistono interferenze a più livelli fra le due produzioni corinzie, ritengo senz'altro appropriata l'attribuzione del frammento alla classe B, nonostante la presenza di un bollo attestato spesso su anfore corinzie A.

SG 342

Frammento di ansa con parte dell'attacco superiore, bollata.

Argilla color camoscio con ingubbiatura (?) giallo-verdastra, smagrita con fini granelli neri e bianchi; mica color ambra a scaglie medio-piccole; superficie molto ruvida.

Sottile ansa a sezione ovale; il bollo è impresso sulla curva e si legge guardando in direzione dell'attacco.

Bollo rettangolare con gli angoli arrontondati, racchiudente in rilievo la lettera *beta*.
ansa: sez.: $3 \times 1,9$
bollo: $1,3 \times 2$

Cfr. V. GRACE 1, nrr. 234 e 235, con lettera β (in un circolo, però) e argilla identica a quella dell'esemplare pithecusano, classificati fra i bolli di fabbrica non individuata.

L'attribuzione ad un'anfora corinzia B mi è suggerita, ancora una volta, dall'argilla e dalla presenza di bolli simili su altre anfore della classe: cfr. C.G. KOEHLER 1, p. 34: «A significant, though small, number of type B amphoras were stamped representing the epichoric *beta*». Cfr. anche C.G. KOEHLER 3, tav. 78. 2: un bollo circolare con una *beta* retrograda accanto ad un'anfora.

---

(13) C.G. KOEHLER 1, p. 20; C.G. KOEHLER 2, p. 457 nota 35.
(14) C.G. KOEHLER 1, p. 34; C.G. KOEHLER 3: l'articolo è dedicato quasi interamente ai bolli raffiguranti anfore corinzie B impressi su anfore di tipo B.

3. Le anfore marsigliesi

Le fabbriche di Marsiglia sono rappresentate nello Scarico Gosetti da frammenti di 10 anfore, nelle tre paste identificate come proprie di Marsiglia da Guy Bertucchi (1): la pasta fortemente micacea riconosciuta già da F. Benoit nel 1955; una pasta rosa, talvolta sfumante nel giallo e nell'arancio, ruvida al tatto e costellata di polvere di mica argentea ben visibile in superficie; una terza pasta, definita «marsigliese marginale», giallina, ruvida e priva di mica. Quest'ultima pasta ha comportato nel passato notevoli problemi di attribuzione: per esempio, M. Py (2) nota che questa pasta insolita caratterizza prevalentemente il suo tipo 1, per il quale utilizza provvisoriamente la definizione «ionicomassaliota», ad indicare una sicura contiguità con i tipi più distintamente marsigliesi (i suoi tipi 2 e 3), unita con l'incertezza del luogo di produzione. Secondo il Bertucchi, non esiste fra le tre paste uno scarto cronologico, come invece aveva ritenuto M. Py (3), alla cui classificazione dei bordi farò spesso riferimento.

Pochissimi, vaghi, sono i dati cronologici, ricavabili perlopiù dalle tabelle tipologiche dei bordi elaborate da Michel Py. Si ha, nel complesso, l'idea che le anfore marsigliesi a Pithecusa fossero concentrate essenzialmente durante la prima metà del V secolo. A ciò fa riscontro, d'altra parte, la presenza di un numero elevato di anfore di imitazione, anche più tarde, forse in parte responsabili della scarsità degli «originali», oppure favorite, invece, nella loro diffusione da fattori di mercato che ostacolavano la circolazione dei contenitori con il vino di Marsiglia (4).

SG 88

Due frammenti combacianti, corrispondenti a parte del labbro e del collo, con un'ansa.

Argilla uniformemente giallina, dalla frattura tagliente, caratterizzata da frequenti e minutissime scaglie di mica argentea e, più raramente, dorata, con pochi granelli di sabbia neri e bianchi.

Labbro ottenuto ripiegando su se stessa l'argilla della parete; in sezione presenta una fessura a goccia, mentre la parete esterna è interrotta in basso da una profonda scanalatura che crea l'effetto di una risega prima del collo; collo cilindrico; spalla obliqua; ansa piatta, impostata sul collo subito sotto il labbro, e sulla spalla.

---

(1) Comunicazione personale nel corso del Seminario di Studi sulle Anfore Arcaiche, Valbonne, 5-6 nov. 1982. Guy Bertucchi, che ringrazio per la cortesia con cui ha voluto controllare alcune delle mie attribuzioni, ha basato l'attribuzione delle tre paste a fabbriche marsigliesi su analisi per attivazione neutronica. Desidero precisare che la responsabilità per eventuali errori è da ritenersi solo mia, e che G. Bertucchi ha potuto esaminare solo i disegni e le schede di alcuni frammenti, non i frammenti stessi.

(2) M. PY, p. 3

(3) M. PY, p. 23 nota 17.

(4) Gli studi più autorevoli sulla classe sono brevemente esposti in N. DI SANDRO 2. Quando scrissi l'articolo, tuttavia, non ero ancora al corrente degli studi del Bertucchi, né conoscevo il materiale di Ischia. Mi è ora chiaro che le anfore presentate nel catalogo dell'articolo citato con la denominazione comune di «gruppo massaliota» andrebbero in realtà suddivise in marsigliesi «vere» e in anfore imitanti i contenitori marsigliesi, sulla base dell'impasto (ciò risulterà più chiaro leggendo il capitolo 4) e delle minime variazioni tipologiche, in un primo momento trascurate. Anfore marsigliesi sono presenti anche negli strati arcaici di Pompei, pubblicate in N. DI SANDRO 3.

ƀ int.: 11
labbro: h: 4
      spess.: 2
collo: h: 9,7
ansa: sez.: 3,9×2,4

Il labbro rientra nel tipo 2 di M. Pʏ (cfr. la fig. 4. 1) e appartiene probabilmente ad un'anfora del primo tipo, che Michel Py definisce «à col cylindrique et panse en toupie» (5). La tipologia del labbro suggerisce una datazione alla prima metà del V secolo a.C.

SG 89

Frammento di labbro e collo.
Argilla rosa chiaro, dura e ruvida, con finissimi granelli di sabbia e qualche grosso incluso nero, contenente poca mica puntiforme dorata e radi piccoli granelli color rosso minio.
Grosso labbro ripiegato con fessura interna a goccia e risega modellata nella parte inferiore; collo a pareti verticali.
H: 9,3
ƀ int., ric.: 17 (?)
labbro: h: 4,4
      spess.: 2

Il labbro rientra nel tipo 2 della classificazione M. Pʏ (cfr. fig. 4. 1) e, come il precedente, appartiene ad un'anfora «à col cylindrique et panse en toupie». I metà V sec. a.C.

SG 90

Frammento di labbro.
Argilla giallognola, dura e ruvida, contenente finissimi granelli di sabbia, poco quarzo e poca polvere di mica.
Labbro ripiegato a sezione allungata, con fessura interna a goccia; una risega è modellata nella parte inferiore, prima dell'attacco sul collo.
H: 4,3
ƀ int., ric.: 12
labbro: h: 3,8
      spess.: 1,9

Il labbro è riferibile ad un'anfora del primo tipo e rientra a sua volta nel tipo 2 di M. Pʏ (cfr., fig. 4). I metà V sec. a.C.

---

(5) Cfr. M. Pʏ, p. 1 e nota 4.

SG 91

Frammento di labbro.

Argilla giallognola, dura e ruvida, con finissimi granelli di sabbia bianchi e neri e poca mica puntiforme.

Labbro ripiegato, a sezione semicircolare, alto e spesso; ad un'estremità il frammento si presenta pieno in sezione, mentre dal lato opposto mostra una fessura interna a goccia molto ridotta. La parte inferiore della parete esterna è percorsa da una scanalatura che crea l'effetto di una risega prima dell'attacco sul collo.

H: 4,4
ꝋ int., ric.: 10 ca
labbro: h: 4
        spess.: 1,9

Il bordo rientra nel tipo M. Py 3, pertinente ad un'anfora di primo tipo e databile, come i precedenti labbri di tipo 2, alla I metà del V secolo.

SG 92

Frammento di labbro.

Argilla rosa-arancio con piccoli granelli e radi grossi granuli neri, e con pochissima mica puntiforme; poche tracce di ingubbiatura biancastra; superficie ruvida e frattura dura; alcuni inclusi rossi.

Labbro alto e massiccio, con profilo arrotondato e max. espansione alta; sezione piena; la parte inferiore è segnata da due sottili incisioni.

H: 5
ꝋ int., ric.: 12
labbro: h: 4,1
        spess.: 2,1

Il labbro è ancora sostanzialmente di tipo M. Py 3, pertinente ad un'anfora di primo tipo e databile alla prima metà del V secolo.

SG 93

Frammento di labbro.

Argilla beige carico punteggiata di finissima sabbia nera; la superficie interna tende al rosa; grana fine e compatta. Mica assente.

Labbro arrotondato ripiegato su se stesso, con sezione allungata piena. Le dimensioni del frammento non permettono di cogliere l'eventuale presenza di una risega sul collo.

H: 4,3
ꝋ int., ric.: 13,2
labbro: h: 3,9
        spess.: 1,7

Il labbro è di tipo Py 3 (si confronti la fig. 5. 15 di M. Py), I metà V sec. a.C.

SG 94

Punta con parte del ventre.

Argilla giallo rosato dalla frattura netta, contenente mica dorata a scaglie piccole e pochi granellini di sabbia.

La punta, che sembra chiudersi intorno al punto di congiunzione delle pareti del ventre, è formata da una specie di anello sovrapposto ad una semisfera.

H: 9,7

anello $\emptyset$: 4,7

sfera $\emptyset$: 2,7 ca

h punta tot.: 2,2

Una punta di questo genere è unica nella mia esperienza. L'argilla è vicinissima a quella del frammento SG 88, e il ventre doveva essere slanciato. Questi elementi suggeriscono la pertinenza del frammento ad un'anfora marsigliese a pasta poco micacea, forse confrontabile con il terzo tipo di M. PY (cfr. M. PY, fig. 1.i). L'attribuzione è comunque da ritenersi dubbia.

SG 95

Frammento di labbro e collo.

Argilla rosa vivo sia in superficie che in frattura, tempestata di grosse scaglie di mica argentea e dorata — queste ultime molto più grandi delle prime — che affiorano in abbondanza anche in superficie; smagrita con inclusi di quarzo e con grossi pezzi di pietra rossi e neri. Fattura estremamente grossolana, nonostante la lavorazione al tornio. Pareti molto spesse.

Labbro grosso a sezione irregolarmente convessa, distinto dal collo solo mediante un profondo solco; il collo ha pareti irregolarmente concave di grosso spessore.

H: 9

$\not{b}$ int., ric.: 15

labbro: h: 3

spess.: 2,2 (quasi costante)

L'argilla si confronta esattamente con quella descritta da F. BENOIT a p. 36 s. Il labbro rientra nel tipo 4 secondo la classificazione dei bordi di M. PY, databile alla I metà del V secolo e riferibile ad un'anfora del secondo tipo, «à col bas et panse sphérique» (6): cfr. M. PY, fig. 6.1. Un buon confronto è fornito anche dalla fig. 12.2 in F. BENOIT.

SG 96

Sei frammenti combacianti, pertinenti al fondo di un'anfora.

Argilla arancione estremamente morbida e «grassa», smagrita con molti grossi inclusi rosso scuro e con alcuni inclusi neri e bianchi; nell'impasto sono presenti grandi scaglie

---

(6) Cfr. M. PY, p. 1 e nota 5.

— quasi veri e propri agglomerati — di mica argentea e color ambra, e scaglie più piccole ricoprono l'intera superficie.

Fondo pieno, basso e largo, svasato verso il basso e con base di appoggio arrotondata; ventre dalle pareti molto spesse, la cui inclinazione suggerisce una forma sferica.

H: 8

fondo: h: 2,5

⌀: 6,7

Il fondo appartiene ad un'anfora a corpo sferico del secondo tipo di M. Py. Confronti calzanti, sia per l'argilla che per la forma, sono: M. Py, tipo 2, fig. 1 d, e, f; F. Benoit, fig. 4; B. Bouloumié, tav. 14.74.

Il tipo di anfora marsigliese a ventre sferico si protrae a lungo, dal V secolo fin dopo la metà del IV, con modifiche che interessano, però, soprattutto l'aspetto del labbro.

SG 97

Frammento di labbro.

Argilla giallo-verdina, dura e compatta, con frattura tagliente ma con tendenza a sfaldarsi. L'impasto contiene qualche incluso di pietra rosso scuro.

Il labbro è caratterizzato dalla faccia superiore orizzontale, con parete interna leggermente convessa, sfuggente, e faccia esterna rientrante verso il basso, obliqua e tesa.

H: 3,8

⌀ int., ric.: 11,6

labbro: h: 2,2

spess.: 2

La forma del labbro è vicina al tipo 6 di M. Py, pur se non esattamente confrontabile con alcuno degli esemplari che egli pubblica in fig. 9. L'attribuzione è da ritenersi dubbia; in particolare, non si può escludere una possibile appartenenza del frammento ad un'anfora corinzia B: esaminata solo de visu, l'argilla non può essere assegnata con certezza a nessuna delle due classi, mentre tipologicamente il frammento richiama confronti anche fra le anfore corinzie B: cfr. in particolare: C.G. Koehler i, nr. 253 (datata al IV secolo); S. De Luca De Marco, tav. I. 4.

4. Le imitazioni di anfore marsigliesi

Tra i frammenti di anfore dallo Scarico Gosetti si contano molti labbri e frammenti di anse o di pareti caratterizzati dalla pasta a superficie grigia, con una tonalità di base dell'argilla oscillante intorno al rosso scuro, grigia in frattura, sgrassata perlopiù con sabbia ben evidente e contenente inclusi bianchi. L'ingubbiatura è presente almeno in tracce su tutti gli esemplari del gruppo: si tratta sempre di una spessa e resistente ingubbiatura color crema che, mentre nasconde completamente la superficie dell'anfora, le conferisce un colore vicino a quello delle anfore marsigliesi a pasta giallina e priva di mica — la cosiddetta marsigliese marginale.

Aspetti tipologici rafforzano la suggestione di trovarci in presenza di anfore imitanti la produzione marsigliese. I labbri si confrontano spesso con labbri di tipo 3 oppure 6 della classificazione dei bordi di Michel Py, pur senza essere mai identici: variano in genere le proporzioni, il rapporto fra l'altezza e lo spessore, oppure l'aspetto della risega che solitamente segna il passaggio al collo.

In base agli aspetti tipologici ho inserito nel gruppo i frammenti a superficie rossa SG 98 e SG 109: a parte il colore della superficie, del resto, anche l'argilla si confronta bene con quella degli altri frammenti del gruppo.

Anfore caratterizzate da pasta e labbri simili a questi mancano dalla necropoli di San Montano. Confronti provengono invece dalle necropoli della terraferma campana, e sono da ricercarsi nel gruppo eterogeneo che in un articolo (1) ho definito «massaliota». Rilevavo qui un'ampia oscillazione nella pasta fra gli esemplari del gruppo, e variazioni tipologiche, anche se mi sembrava indiscutibile la derivazione da un comune tipo teorico. Per quanto riguarda la pasta, in particolare, si opponevano una pasta chiara, giallina, fine e a tessitura fitta; e una pasta più grossolana, più scura, rosso cupo o arancio tendente al nero. Non notavo tracce di ingubbiatura, probabilmente esistente in antico, come a Ischia, ma persa per effetto del contatto col terreno. Le acquisizioni fatte ad Ischia contribuiscono ora a chiarire che i 15 esemplari presi in considerazione nell'articolo vanno suddivisi almeno in due ulteriori gruppi: da un lato le marsigliesi «vere», a pasta chiara non micacea o leggermente micacea; dall'altro, anfore di imitazione, a pasta scura, forse originariamente ingubbiate (fra queste, per esempio, tre anfore da Fratte: quella dalla tomba 10, e θ e λ, prive di contesto noto).

Rimane per il momento irrisolto il problema del rapporto fra queste anfore di «imitazione» e il gruppo definito «chiota» (2). Infatti, distinti per il diverso aspetto dell'argilla (e purtroppo, ancora una volta, posso giudicare solo in base all'aspetto, senza il sostegno di esami mineralogici), i labbri SG 137, 138, 139, 140, 141 e 142 del gruppo «chiota» richiamano tipologicamente i frammenti SG 99, 100, 101, 103, 105, 106 del gruppo a pasta rossa con superficie grigia e ingubbiatura crema, essendo tutti caratterizzati dal morbido profilo «a virgola».

---

(1) N. DI SANDRO 2.

(2) I problemi relativi all'attribuzione della classe c.d. «chiota» a fabbriche di Chio sono esposti in N. DI SANDRO 1, pp. 8-10. Nelle stesse pagine sono illustrate le anfore della classe provenienti dalla terraferma campana e sono fornite indicazioni circa il contesto di provenienza, la cronologia e l'evoluzione del tipo.

Per le anfore «chiote» da Pithecusa cfr. il capitolo 6, *infra*.

Inoltre, le anfore «chiote» presentano anch'esse un'ingubbiatura, confrontabile con quella del gruppo di anfore imitanti le marsigliesi.

Negli esemplari integri dalle necropoli della terraferma campana, ho potuto distinguere le anfore «chiote» da quelle genericamente definite «massaliote» in base a caratteristiche che investivano anche il collo e l'aspetto generale del corpo, più che solo la pasta e l'aspetto del labbro. Più precisamente, le anfore c.d. «chiote» hanno collo bombato, chiaramente diverso dal collo cilindrico delle «massaliote» (3). Ma il collo in genere manca nei frammenti pithecusani, dove perciò il ricorso all'osservazione dell'argilla è più frequente di quanto l'esperienza stessa nella materia consiglierebbe.

Per quanto concerne la cronologia, rimando alle indicazioni fornite da M. PY per i labbri dei tipi imitati, ammesso che l'identificazione sia di volta in volta esatta.

Dove erano fabbricati i «falsi» marsigliesi? Y. Calvet e M. Yon illustrano un tipo di anfora commerciale caratterizzato da pasta assai scura (bruna, grigia, bruno-rossastra) corrente nel mondo ionico e importata a Salamina di Cipro tra la fine del VII secolo e la metà del VI (4). Impasto rosso scuro con superficie grigio-violacea presenta anche l'anfora «ionica» trovata a Salamina in un contesto della prima metà del VI secolo, illustrata in Y. CALVET-M. YON 1, nr. 117.

Sono però abbastanza convinta che questi confronti non offrano la soluzione al nostro problema, considerato anche lo scarto cronologico esistente rispetto ai nostri frammenti e agli esemplari dalla terraferma campana, e che sia necessario approfondire la ricerca ulteriormente.

SG 98

Frammento di labbro e collo con l'attacco di un'ansa.

Argilla rossa contenente radi grossi inclusi bianchi e rossi, piccoli granelli neri e bianchi e poca mica puntiforme; nucleo brunastro nell'ansa; tracce di ingubbiatura crema.

Labbro ripiegato su se stesso, con sezione a mandorla e fessura centrale; presenta tracce di una modanatura presso l'attacco sul collo, ma non se ne colgono le caratteristiche perché si conserva solo la parte circostante l'attacco dell'ansa. Ansa a sezione ovale.

H: 7,3
ɓ int., ric.: 11 (?)
labbro: h: 3,7
      spess.: 1,8
ansa: sez.: 4×2

Il labbro imita probabilmente il tipo 1 di M. Py, ma con un rapporto diverso fra l'altezza e lo spessore (rapporto h/spess.: ca 1,8 nel bordo M. PY 1; ca 2,2 in questo frammento).

---

(3) Cfr. gli articoli citati nelle note 1 e 2, *supra*. Cfr., inoltre, la fig. 1 in N. DI SANDRO 1, e la fig. 19 in N. DI SANDRO 2.
(4) Y. CALVET-M. YON 2, p. 49 s. e fig. 5e.

SG 99

Frammento di labbro con parte del collo.

Argilla rossa contenente granelli bianchi e neri; nucleo grigio; superficie grigia coperta da una spessa ingubbiatura crema.

Labbro ripiegato su se stesso, a sezione piena; il profilo è slanciato con la faccia superiore piatta e un passaggio «morbido» alla faccia esterna, che è convessa con la max. espansione alta; il labbro è sottolineato sul collo da una risega ben pronunciata; collo probabilmente cilindrico.

H: 4,7
Ø int., ric.: 13 ca
labbro: h: 3
        spess.: 1,4

Il labbro si accosta al tipo 3 della classificazione di M. Py (cfr. la sua fig. 5.3), da cui si differenzia perché la faccia superiore nel nostro frammento è orizzontale, invece che inclinata. Inoltre, le dimensioni di SG 99 sono decisamente inferiori a quelle del bordo illustrato nella fig. 5.3, cit.

SG 100

Frammento di labbro con una frazione del collo.

Argilla rossa con nucleo grigio-porpora in corrispondenza di spessori maggiori della parete; superficie grigia coperta da spessa ingubbiatura crema, conservata in alcuni tratti; l'impasto ingloba granelli bianchi e rosso scuro.

Labbro ripiegato su se stesso, a sezione piena; parete esterna convessa con max. espansione alta; è sottolineato sul collo da una risega ben rilevata percorsa da una doppia scanalatura. Collo cilindrico.

H: 5
Ø int., ric.: 11
labbro: h: 2,7
        spess.: 1,7

Richiama il terzo tipo di bordo illustrato dal Py (cfr. M. Py, fig. 5), anche se non si presta ad alcun confronto puntuale.

SG 101

Frammento di labbro e collo, con l'attacco di un'ansa.

Argilla rossa con nucleo bruno-grigio dove lo spessore della parete è maggiore; superficie grigia con tracce di ingubbiatura crema spessa e dura; tessitura compatta e grana fine, con finissimi e radi granelli neri e bianchi; frattura dura e tagliente.

Labbro arrotondato a sezione piena, con max. espansione alta, sottolineato sul collo da una morbida risega poco rilevata; ansa a sezione ovale impostata ca 2 cm sotto il labbro.

H: 9,8
ƀ int., ric.: 11,5
labbro: h: 3
        spess.: 1,7
ansa: 4 × 1,8

A dispetto della sezione piena, questo labbro richiama tipologicamente il tipo 1 della classificazione Py: cfr. in particolare la fig. 3.8, 11.

SG 102

Frammento di labbro.
Argilla rossa con superfici grigie; tracce di ingubbiatura biancastra; l'impasto è granuloso, smagrito con sabbia bianca e color ambra, contenente grossi inclusi bianchi e neri.
Alto labbro ripiegato a sezione piena, con la parete esterna arrotondata e la max. espansione bassa, probabilmente sottolineato sul collo da una risega di cui si avverte l'inizio in corrispondenza della frattura del frammento.
H: 3,8
ƀ int., ric.: 23 (incerto)
labbro: h: 3
        spess.: 1,8

Non richiama con esattezza alcun tipo di labbro di anfora marsigliese. Il frammento è stato inserito nel gruppo per le caratteristiche della pasta, che si confronta perfettamente con quella dei frammenti che vi rientrano anche per gli aspetti tipologici.

SG 103

Frammento di labbro e collo.
Argilla rossa con superficie grigia ricoperta da spessa ingubbiatura crema, smagrita con sabbia bianca e con granuli rosso scuro di taglia maggiore; frattura dura e tagliente.
Grosso labbro ripiegato a sezione piena, con profilo esterno semiellittico, sottolineato sul collo da una risega abbastanza ben pronunciata.
H: 7
ƀ int., ric.: 10,4
labbro: h: 3
        spess.: 2,3

Il labbro si presenta come un incrocio fra i tipi 3 (per la faccia superiore arrotondata e obliqua) e 6 (per l'aspetto della curva che caratterizza la faccia esterna) della classificazione di Michel Py.

SG 104

Frammento di labbro.
Argilla rossa con nucleo e superficie grigi e tracce di spessa ingubbiatura crema, smagrita con sabbia bianca e alcuni grossi inclusi bianchi.

Labbro ripiegato con sezione piena; profilo arrotondato e faccia superiore piatta, ma con passaggio morbido alla faccia esterna; una risega lo sottolinea sul collo.

H: 4,2

Ƀ int., ric.: 12

labbro: h: 3,2

     spess.: 1,9

Il frammento richiama i bordi del tipo Py 6, pur non confrontandosi esattamente con nessuno degli esemplari illustrati in M. Py, fig. 9: ne differisce, infatti, perché la max. espansione è situata un po' più giù dell'orlo anziché all'orlo stesso (profilo a quarto di cerchio, caratterizzante i labbri Py 6).

SG 105

Frammento di labbro con frazione del collo.

Argilla rossa con nucleo e superficie grigi e tracce di spessa ingubbiatura crema, contenente piccoli cristalli di quarzo, granelli bianchi e alcuni inclusi bianchi che raggiungono dimensioni fino a 4-5 mm.

Labbro ripiegato con sezione piena; profilo a quarto di cerchio, ma con passaggio morbido dalla faccia superiore a quella esterna; è sottolineato sul collo da una risega ben pronunciata.

H: 4,5

Ƀ int., ric.: 10,8

labbro: h: 3,1

     spess.: 1,9

Richiama il labbro di tipo M. Py 6, a quarto di cerchio, da cui però si discosta per il passaggio più «morbido» dalla faccia superiore a quella esterna.

SG 106

Frammento di labbro.

Argilla prevalentemente grigia per effetto di cottura, con il rosso limitato ad uno strato molto sottile fra la superficie e il nucleo; poche tracce residue di spessa ingubbiatura crema; granelli bianchi evidenti nell'impasto.

Labbro ripiegato con sezione piena e profilo convesso con la max. espansione piuttosto alta, sottolineato sul collo da una risega.

H: 3,6

Ƀ int., ric.: 10 ca

labbro: h: 2,7

     spess.: 1,6

Il labbro si avvicina molto al tipo 7 della classificazione di M. Py, pur non ammettendo alcun confronto preciso.

SG 107

Frammento di labbro.

Argilla rossa con superficie grigia e spessa ingubbiatura crema, contenente granelli bianchi.

Labbro a quarto di cerchio, impostato sul collo senza risega.

ɸ int., ric.: 8

labbro: h: 2,7

  spess.: 2,4

Si confronta perfettamente con il bordo M. Py 6.14 (cfr. fig. 9.14).

In Campania, esemplari caratterizzati dallo stesso labbro e da pasta confrontabile provengono da Fratte, uno dalla T. 122, gli altri denominati ϑ e λ, privi di contesti noti: cfr. N. Di Sandro 2.

SG 108

Frammento di labbro con una frazione del collo.

Argilla rossa a grana fine e compatta, contenente quarzo e granelli bianchi opachi; superficie grigia coperta da spessa ingubbiatura crema che continua anche sulla parete interna — il che talvolta si riscontra anche in altri frammenti attribuiti alla classe; frattura dura e tagliente.

Labbro a quarto di cerchio, impostato sul collo senza risega.

H: 4,2

ɸ int., ric.: 12

labbro: h: 2,3

  spess.: 2,5

Cfr. M. Py, bordo di tipo 6: in particolare, fig. 9.14.

SG 109

Labbro e collo, con i punti di attacco superiori delle due anse.

Pesante argilla rosso-bruna a grana compatta, contenente poca mica (?) puntiforme e molti granelli bianchi; spessa ingubbiatura crema; frattura dura e tagliente.

Labbro a quarto di cerchio sottolineato da una lieve risega scanalata situata esattamente nell'angolo creato dall'attacco fra labbro e collo; alto collo cilindrico; anse a sezione ovale impostate subito sotto il labbro; segni di tornio visibili sulla parete interna.

H: 17

ɸ int.: 12

labbro: h: 2,4

  spess.: 2,2

anse: sez.: 5,5 × 2,3

Il frammento appartiene ad un'anfora certamente simile alle anfore da Fratte (Sa), T. 122, e ϑ e λ (5), nelle quali il collo cilindrico si imposta su una spalla ampia e bassa, arrotondata al passaggio al ventre; il ventre ha pareti tese fortemente rastremate verso il basso, che si congiungono in una breve punta verticale. La descrizione delle tre anfore da Fratte può applicarsi, verosimilmente, anche ai frammenti SG 107 e 108, pur essendo questi troppo piccoli perché si possa giudicare con sicurezza.

Per quanto riguarda il rapporto con le anfore marsigliesi, credo che il nostro labbro imiti il tipo 6 di M. Py.

SG 110

Quattro frammenti combacianti pertinenti al labbro con parte del collo e gli attacchi delle anse di un'anfora.

Argilla fra l'arancione e il rosso scuro, con superficie grigia, contenente granelli bianchi; spessa ingubbiatura crema che si stacca ma non si polverizza e di cui rimangono solo poche tracce.

Labbro a quarto di cerchio; collo cilindrico; anse a sezione ovale.

H: 9,2

$\emptyset$ int.: 11,7

labbro: h: 2,7

        spess.: 2,2

anse: sez.: $4,5 \times 2$

Come i tre frammenti precedenti, anche questo richiama il tipo 6 della classificazione dei bordi di M. Py.

Per la probabile ricostruzione dell'aspetto dell'anfora, cfr. il commento al frammento SG 109.

SG 111

Frammento di ansa con l'attacco superiore e una frazione del collo.

Argilla arancione con nucleo sfumante dal grigio-violaceo al grigio chiaro e superfici grigie; spessa ingubbiatura crema; contiene finissimi granelli bianchi e poca mica puntiforme.

Ansa a sezione lenticolare, impostata verticalmente dal collo.

Sez: $4 \times 2,2$

L'ansa è attribuita alla classe con riferimento soprattutto all'argilla.

SG 112

Frammento di ansa con attacco superiore e una piccola parte del collo.

Argilla arancione, smagrita con finissimi granelli bianchi e pochi inclusi rossicci o color porpora; nucleo grigio chiaro e superfici viola-grigiastre; tracce di spessa ingubbiatura crema.

---

(5) A queste anfore accenno, senza però fornirne schede e fotografia, in N. Di Sandro 2.

Ansa a sezione piatta, impostata verticalmente fra collo e spalla, leggermente sormontante il punto di attacco.

Sez: $4 \times 1,8$.

SG 113

Frammento di ansa con attacco inferiore.

Argilla arancione con nucleo e superfici tendenti al grigio; tracce di leggera ingubbiatura bianca; smagrita con granelli bianchi opachi che talora si presentano come inclusi di media taglia; contenente poco quarzo e poca mica scura.

Ansa verticale a sezione lenticolare; l'attacco suggerisce una spalla fortemente obliqua.

Sez: 4×2

Attribuita alla classe in base alle caratteristiche della pasta.

SG 114

Frammento di ansa.

Argilla arancione smagrita con granelli bianchi; superficie grigia, ricoperta da una spessa ingubbiatura crema di cui restano tracce soprattutto lungo la faccia posteriore.

Ansa a sezione ovale con leggera curvatura in senso verticale.

Sez: $3,5 \times 2$

Inserita nella classe per le caratteristiche dell'argilla.

SG 115

Frammento di ansa con l'attacco superiore.

Argilla arancione smagrita con granelli bianchi; nucleo grigio e superficie grigio-porpora; tracce di ingubbiatura, evidenti soprattutto sulla faccia posteriore.

L'ansa si conserva dal punto di attacco superiore, ma non resta traccia del collo; ha sezione lenticolare e scende verticalmente o con lieve divergenza sulla spalla, avendo formato un gomito poco dopo l'attacco superiore.

Sez: $4 \times 2,2$

Attribuita alla classe per le caratteristiche della pasta.

SG 116

Frammento di ansa.

Argilla rosa smagrita con granelli bianchi e inclusi rosso scuro; nucleo grigio chiaro e superficie porpora; tracce di ingubbiatura crema.

Ansa a sezione lenticolare.

Sez: 4×2

Attribuita alla classe in base all'aspetto della argilla.

SG 117

Frammento di ansa.

Argilla rossa, brunastra nel nucleo, smagrita con granelli bianchi e neri; superficie grigio-camoscio con tracce di ingubbiatura crema.

Il frammento appartiene alla parte superiore dell'ansa, ma manca l'attacco; il troncone superiore è orizzontale, seguito da un gomito dal quale l'ansa scende verticalmente sulla spalla; la sezione è ovale.

Sez: 4,2 × 2,4

Attribuita alla classe in base all'aspetto generale dell'argilla.

SG 118

Frammento di ansa.

Argilla arancio, fine e compatta, con granelli bianchi e neri; nucleo grigio; superficie grigio-porpora con tracce di pesante ingubbiatura crema.

Ansa a sezione ovale; il troncone superiore è orizzontale, seguito da un gomito dal quale l'ansa scende verticalmente sulla spalla.

Sez: 4 × 2

Attribuita alla classe in base alle caratteristiche dell'argilla.

SG 119

Frammento di ansa.

Argilla rossa, grigia in frattura e grigio-camoscio in superficie, con granelli bianchi nell'impasto; ricoperta da una spessa ingubbiatura crema di cui restano ampie tracce.

Ansa a sezione lenticolare, con costa piatta e faccia posteriore convessa.

Sez: 4,9 × 2,3

Inserita nella classe per le caratteristiche dell'argilla.

SG 120

Frammento di ansa.

Argilla rossa con nucleo grigio chiaro e superfici a tratti grigie, con tracce di ingubbiatura crema; grossi inclusi rosso scuro e di quarzo; pochissima mica incolore puntiforme.

Ansa a sezione ovale.

Sez.: 3,8 × 1,9

Inserita nella classe per le caratteristiche della pasta.

5. Le anfore chiote

Lo Scarico Gosetti ha restituito frammenti pertinenti a dieci anfore chiote del tipo universalmente riconosciuto come il più antico, con semplici motivi dipinti su una resistente ingubbiatura biancastra. Generalmente in vernice brunastra — la tonalità varia secondo l'effetto della cottura e secondo la densità della vernice applicata — la decorazione che si ricostruisce attraverso i nostri frammenti è quella canonica della classe: labbro dipinto, anelli intorno agli attacchi delle anse e una striscia «tirata» lungo la costa delle anse stesse, una «S» coricata sulla spalla, nel campo fra le anse, e fasce orizzontali variamente distanziate sul ventre. In tutti i frammenti considerati, la larghezza delle fasce è contenuta fra 0,6 e 1,4 cm, tranne che sulla costa delle anse dove, in qualche caso, la striscia verticale è un pò più sottile.

I particolari tipologici sono meno chiari di quelli decorativi, data la qualità dei frammenti a noi pervenuti. Per ricostruire l'aspetto delle nostre anfore, bisogna rifarsi ad esemplari pubblicati, ammettendo una certa approssimazione. In particolare, si vedano le pagine 100-106 dell'opera della Lambrino citata in bibliografia, e le figure 26 e 27 dell'articolo di M. Slaska, I.

Le anfore chiote con decorazione dipinta su ingubbiatura sono variamente datate a seconda dei contesti: lo scavo di J.K. Anderson a Chios ne ha individuate in strati della fine del VII secolo (1); M. Lambrino le assegna già al terzo quarto del VII secolo (2), mentre la bibliografia raccolta da M. Slaska le suggerisce di datare gli esemplari di Gravisca fra la metà del VII e gli inizi del VI secolo a.C. (3).

Un confronto più immediato, sia per ricostruire l'aspetto delle anfore chiote dallo Scarico Gosetti, sia — soprattutto — per datare la presenza della serie a Ischia, è fornito dall'anfora chiota dipinta e ingubbiata dalla tomba 246 della necropoli di San Montano, il cui contesto ne abbassa la cronologia al periodo corinzio. Molto probabilmente i contenitori venivano riutilizzati per qualche tempo, una volta esaurito il contenuto originario, prima di essere deposti nelle tombe; e tuttavia, l'indicazione cronologica interna, per quanto forzatamente approssimata, mi sembra più attendibile che non confronti bibliografici.

SG 131 è l'unico frammento di anfora chiota dipinta ma non ingubbiata rinvenuto a Pithecusa. Pertinente ad un'ansa, il frammento non lascia determinare la forma dell'anfora. Unica indicazione cronologica ad esso applicabile è, pertanto, quella relativa all'inizio della serie, che J.K. Anderson fissa agli inizi del VI secolo (4); la produzione si prolunga almeno fino al V secolo, con variazioni tipologiche che, come è intuibile, non siamo in grado di cogliere attraverso una semplice ansa.

SG 132, 133 e 134 sono fondi di anfore grezze, attribuibili ad esemplari del IV secolo. Tuttavia, occorre evidenziare che SG 133 e 134 sono stati assegnati solo tentativamente alla classe, come indico nel commento ai due pezzi.

Si ha nel complesso l'impressione che ad una prima fase caratterizzata da un'importazione quantitativamente sostenuta di anfore di un certo pregio (ossia: di *vino* di un certo

---

(1) J.K. Anderson, p. 169.
(2) M. Lambrino, p. 101.
(3) M. Slaska i, p. 228.
(4) Cfr. la nota 1, *supra*.

pregio), confinata alla fine del VII secolo, abbia fatto seguito una recessione nelle importazioni da Chios, da cui provengono solo esemplari sporadici nei tre secoli successivi, forse neppure trasmessi direttamente dal centro di produzione.

Viceversa, sono molto numerosi dallo Scarico i frammenti di anfore grezze del tipo cosiddetto «chiota», attestato in Campania in corredi collocati fra la prima metà del V secolo e la fine del IV; ho preferito raccogliere questi frammenti in un capitolo a parte perché ritengo assai improbabile che fossero effettivamente il prodotto di officine di Chios (5).

Aggiungo per completezza di trattazione che i frammenti SG 135 e 136, non presentati nel catalogo, sono due anse bollate riferibili a lagynoi piuttosto che ad anfore: i bolli circolari, identici nei due frammenti, recano il nesso Ρ e trovano un confronto puntuale in V. GRACE I, nr. 202.

SG 121

Frammento del labbro, del collo e di un'ansa.
Serie dipinta su ingubbiatura.
Argilla bruna smagrita con minuti granellini bianchi, contenente poca finissima mica incolore; ingubbiatura biancastra; vernice oscillante fra il rosso-bruno e il nero-bruno.
Labbro esternamente ingrossato a cordone; collo a pareti verticali; ansa a sezione ovale.
L'esterno del labbro e i primi 2 mm della parete del collo sono coperti di vernice brunastra; la stessa vernice, con tratti a colorazione piú scura, è impiegata per una fascia circolare della larghezza di 0,8 cm che racchiude l'attacco superiore dell'ansa e ne percorre verticalmente la costa.
H: 8,2
Ь int., ric.: 11,4
labbro: h.: 2,1
       spess.: 1,3
sez. ansa: 3,7×2,1

Il frammento è pertinente ad un'anfora chiota del tipo A individuato da M. Slaska, definito «white slip»: «si tratta di un tipo arcaico di anfora chiota, datato tra la metà del VII e gli inizi del VI secolo a.C.» (6).

SG 122

Sei frammenti combacianti pertinenti alla spalla, con l'attacco inferiore di un'ansa.
Serie dipinta su ingubbiatura.
Argilla arancio con frattura marrone, parete interna ruvida; smagrita con finissimi granelli bianchi opachi e con quarzo; contiene abbondante mica incolore puntiforme; ingubbiatura bianca; vernice rosso-bruna.
Ansa a sezione lenticolare impostata su spalla obliqua.

---

(5) Cfr. *infra*, capitolo 6.
(6) M. SLASKA I, p. 228. Si confrontino, alla stessa pagina, le note 2-8 che forniscono indicazioni bibliografiche.

Una fascia verticale percorre la costa dell'ansa e attraversa l'anello che corre intorno all'attacco e la fascia orizzontale ad esso sottostante; a destra dell'anello resta l'inizio della «S» coricata che è tipica della classe. Tutte le fasce dipinte hanno la stessa larghezza (cm 1,4).

H: 10

sez. ansa: 4,7 × 2

L'anfora si inserisce nella stessa serie indicata per il frammento precedente. Ammette un confronto sicuro con l'anfora chiota dalla tomba 246 della necropoli di San Montano, il cui corredo è di epoca corinzia.

Si confronti, inoltre, M. LAMBRINO, figg. 64 e 86d.

SG 123

Frammento di spalla.
Serie dipinta su ingubbiatura.
Argilla arancio smagrita con poca finissima sabbia bianca; ingubbiatura arancio crema; vernice nero-bruna.
Sul frammento, che è pertinente alla zona di passaggio fra la spalla e il ventre, si coglie un tratto dell'anello dipinto che circonda l'attacco inferiore dell'ansa; sotto e tangente a questo è una fascia orizzontale, alta 1,2 ÷ 1,4 cm, seguita, 2 cm più sotto, da una seconda fascia, parallela e della stessa larghezza.

H: 5,7

Largh.: 4,5

Il frammento appartiene ad un'anfora della stessa serie dei precedenti.
Cfr. per la decorazione M. LAMBRINO, fig. 86d.

SG 124

Frammento di spalla.
Serie dipinta su ingubbiatura.
Argilla rosso scuro, molto fine, smagrita con radi e minuti granelli bianchi; pochissima mica incolore puntiforme; ingubbiatura giallastra; vernice rosso-bruna.
Frammento di spalla, sul quale si riconosce la parte inferiore della larga fascia circolare intorno all'attacco dell'ansa e, ca 2,5 cm più in basso, una fascia orizzontale più sottile (0,6 cm).

H: 4

Largh.: 5,3

Per il commento, cfr. SG 123.

SG 125

Frammento di spalla o ventre.
Serie dipinta su ingubbiatura.
Argilla arancione smagrita con granelli bianchi e, in minore quantità, neri; mica puntiforme; ingubbiatura bianco-rosata; vernice rossa.

Una fascia alta 0,9 cm percorre orizzontalmente il frammento.

H: 5,6

Largh.: 8,3.

SG 126

Frammento di parete.

Serie dipinta su ingubbiatura.

Argilla rosa smagrita con fini granelli bianchi; ingubbiatura giallastra; vernice rosso-bruna.

Troppo piccolo per determinarne la collocazione nell'anfora, il frammento è percorso orizzontalmente da una fascia alta 0,6 cm.

H: 3,7

Largh.: 2,5.

SG 127

Frammento di ventre.

Serie dipinta su ingubbiatura.

Argilla arancione smagrita con granelli neri, contenente grosse lamelle di mica scura e color oro; la parete interna si presenta giallo-arancio; ingubbiatura bianco rosato.

Lo stretto raggio di curvatura del frammento indica forse la sua appartenenza alla parte inf. del ventre. È percorso da due fasce orizzontali: della prima si coglie solo una frazione; la seconda, 1,8 cm più sotto, è alta 0,9 cm.

H: 5,7

Largh.: 3,8.

SG 128

Frammento di un'ansa con una piccola parte dell'attacco inferiore.

Serie dipinta su ingubbiatura.

Argilla bruna smagrita con finissimi granelli bianchi, contenente mica incolore puntiforme; nucleo grigio chiaro; ingubbiatura giallo rosato; vernice rosso-bruna.

Sottile ansa a sezione ovale impostata su spalla fortemente obliqua.

L'attacco è racchiuso da un anello dipinto di cui non si coglie la larghezza; la costa dell'ansa è percorsa verticalmente da una striscia di vernice larga cm 0,5, tracciata irregolarmente lungo l'asse centrale.

Lungh.: 8,7

sez. ansa: $3,3 \times 2,3$.

SG 129

Frammento di un'ansa con l'attacco superiore.

Serie dipinta su ingubbiatura.

Argilla bruno-rosa, ruvida ma fine, dalla frattura dura e tagliente, smagrita con granellini bianchi e contenente qualche incluso grigio; nucleo tendente al porpora; spessa ingubbiatura gialla, che si stacca ma non si polverizza; vernice nero-bruna, a tratti rossastra.

Ansa a sezione sub-circolare.

L'attacco è definito da una linea di vernice di cui non si coglie la larghezza; la costa dell'ansa è percorsa da una fascia verticale spostata a sin. rispetto al centro, larga $0,3 \div 0,5$ cm.

ansa: lungh: 6

sez.: $4,1 \times 3,1$.

SG 130

Frammento di ansa.

Serie dipinta su ingubbiatura.

Argilla mal conservata, apparentemente di colore rosso-bruno, con tracce di ingubbiatura giallo crema, che è dura e spessa, e si stacca senza polverizzarsi; vernice bruna.

Ansa a sezione ovale.

Una striscia di vernice larga 0,3 cm percorre verticalmente l'ansa, spostata a dx. rispetto al centro della costa.

H: 13 ca

$\varnothing$: 3,8

Argilla, ingubbiatura, vernice e sintassi decorativa sono identiche a quelle del frammento SG 129.

SG 131

Frammento di un'ansa con parte dell'attacco superiore.

Dipinta senza ingubbiatura.

Argilla arancio-rosata, fine e ben depurata, senza sgrassanti evidenti; vernice bruna.

Ansa a sezione circolare.

L'attacco è circoscritto da un anello di vernice largo ca 0,8 cm; tracce di una striscia verticale larga $0,5 \div 0,6$ cm si colgono sulla costa dell'ansa.

Lungh.: 8

$\varnothing$: 3,3

Questo è l'unico frammento recuperato finora ad Ischia di anfora chiota dipinta senza ingubbiatura, una classe più recente (7) e comunque generalmente più corrente in altri contesti (8) rispetto alle anfore ingubbiate.

SG 132

Fondo di anfora grezza.

Argilla arancio crema, morbida ma secca, smagrita con finissimi granelli bianchi, e contenente alcuni inclusi bianchi di taglia medio-grande; finissima mica puntiforme è presente. La superficie è molto abrasa.

---

(7) Cfr. M. LAMBRINO, p. 100.
(8) Cfr. M. LAMBRINO, p. 107.

Fondo a grosso puntale inferiormente cavo, leggermente aggettante rispetto alle pareti del ventre, come se vi fosse stato sovrapposto.

H: 6,5

puntale: h: 4

$\emptyset$ inf.: 3,8

Il fondo si confronta bene con J.K. ANDERSON, figg. 9.h e 9.j: l'autore attribuisce al IV secolo fondi del tipo illustrato nelle due figure indicate, rilevando una tendenza all'allungamento del puntale: questo criterio farebbe collocare il frammento pithecusano, con una certa appossimazione, nella prima metà del secolo. Cfr. anche J.B. ZEEST, tav. IV.11 g, col puntale più basso, attribuito al V secolo.

SG 133

Frammento di puntale di anfora grezza.

Argilla rosa-arancio con superficie nocciola-giallastra, morbida, smagrita con finissimi granelli prevalentemente neri.

Fondo di alto puntale con base di appoggio arrotondata e breve incavo inferiore. Il punto di attacco con le pareti del ventre è segnato da una profonda insellatura.

puntale: h: 4

$\emptyset$ inf.: 3,7

L'attribuzione di questo frammento a fabbrica chiota è incerta: infatti, nonostante le somiglianze suggestive, esso non si confronta perfettamente con alcuno dei fondi pubblicati (che, per inciso, non sono moltissimi. Le migliori esemplificazioni sono fornite da J.K. ANDERSON, fig. 9 e da J.B. ZEEST, tavv. III e IV). L'esemplare più vicino al nostro è in J.B. ZEEST, tav. IV.12: fine V a.C. Anche rispetto al frammento SG 132, cui, pure, somiglia, il puntale SG 133 si differenzia per l'aspetto dell'argilla e per particolari tipologici.

SG 134

Fondo di anfora grezza.

Argilla arancio rosato, morbida e secca, smagrita con finissimi granelli bianchi, e contenente inclusi bianchi di taglia maggiore; mica quasi assente.

Fondo a puntale troncoconico pieno, nettamente distinto dalle pareti del ventre, che su di esso aggettano fortemente.

H: 6,2

puntale: h: 2,5

$\emptyset$ sup.: 5,2

$\emptyset$ inf.: 4,6

base del ventre: $\emptyset$: 6,8

La forma è insolita per un fondo di anfora. L'argilla riporta a fabbrica chiota e un confronto tipologico sembra possibile con J.K. ANDERSON, fig. 9i. Tuttavia nel commentare il disegno, l'autore spiega che si trattava di un fondo lavorato in due parti rimasto privo del *toe-cap,* mentre sul puntale di Ischia non si rilevano tracce di rottura perimetrale.

6. Le anfore c.d. «chiote»

I frammenti SG 137-173 appartengono ad anfore di un tipo di cui si hanno almeno 24 esemplari integri o poco danneggiati dalla terraferma campana, circoscritti cronologicamente fra la I metà del V secolo a.C. e la fine del IV (1).

Già nell'articolo citato nella nota 1 indicavo una certa difficoltà nell'attribuire la classe ad officine chiote, perché a Chio anfore identiche non sono state rinvenute, o, perlomeno, non ne sono state pubblicate.

A questo problema, relativo all'identificazione del centro di produzione della classe, se ne aggiunge ad Ischia un secondo, legato allo stato di conservazione dei frammenti dallo Scarico Gosetti: mi riferisco alla difficoltà di distinguere molti frammenti «chioti» da frammenti di anfore a pasta rossa con superfici grigie e ingubbiatura biancastra, che ho indicato come imitazioni di anfore marsigliesi (2). Negli esemplari integri dalla terraferma campana, infatti, la distinzione fra le due classi, che hanno indubbiamente molte somiglianze tipologiche, era resa più sicura da particolari riferibili al collo (che è sempre più o meno bombato nelle anfore «chiote», verticale nelle imitazioni di anfore marsigliesi) e all'aspetto generale dell'anfora. I frammenti pithecusani, come vedremo, solo in pochi casi si riferiscono al collo, mentre più spesso ci sono pervenuti frammenti del labbro, oppure pareti. Così, il ricorso all'osservazione della pasta è purtroppo molto frequente, e devo invitare il lettore a considerare l'attribuzione di certi frammenti alla classe una ipotesi di lavoro. Per esempio, come abbiamo già visto (3), i labbri «chioti» SG 137-142, con il loro profilo a virgola, si confrontano abbastanza bene con i frammenti SG 99-101, 103, 105 e 106, attribuiti al gruppo a pasta rossa e superfici grigie. In questo caso ho trattato il diverso aspetto della pasta come un elemento di disgiunzione, ma non saprei davvero con quante probabilità di essere nel giusto.

L'argilla delle anfore «chiote» si presenta in genere marcatamente arancione, anche se non mancano casi in cui essa tende al rosso scuro. La pasta è disseminata di finissimi granelli bianchi, talora associati con granelli neri o rosso scuro-porpora, e contiene poca mica puntiforme, rilevabile esponendo i frammenti puliti alla luce solare radente. Nessun esemplare ha superfici grigie, mentre quasi sempre si rilevano tracce di una spessa ingubbiatura biancastra o giallina, tirata fino al bordo interno del labbro.

Per la ricostruzione dell'aspetto globale delle anfore «chiote» e per qualche accenno sull'evoluzione tipologica della classe durante il V e il IV secolo rimando al mio articolo sulle anfore dalla terraferma campana (4). Mi limito qui a ricordare che nei frammenti dallo Scarico Gossetti il collo è sempre convesso e si imposta su una spalla di cui non è possibile dire molto, considerate le dimensioni ridotte dei frammenti stessi. Probabilmente in qualche caso era alta e obliqua, ma la serie campana insegna che poteva presentarsi anche più bassa e ampia, con pareti concave o tese. I nostri labbri sono tutti convessi, con tendenza a portare più in alto la massima espansione e ad adeguare l'andamento della parete interna a quello della faccia esterna, secondo la tendenza — già rilevata in Campania — ad assumere l'aspetto di un echino.

---

(1) Cfr. N. Di Sandro 1, anfore «chiote», pp. 8-11 e fig. 1.
(2) Vedi *supra,* cap. 4.
(3) Nell'introduzione al cap. 4, p. 44.
(4) N. Di Sandro 1, pp. 8-11.

Il rapporto con le imitazioni di anfore marsigliesi è stato già esaminato nelle pagine precedenti (5). Vorrei invece riprendere qui il problema relativo all'attribuzione della classe, che è ben rappresentata in Campania (6), a Lipari (7), a Palermo (8), a Mozia (9) e a Megara Hyblaea (10). La compresenza in quest'ultima località di anfore «chiote» a collo convesso con labbro alto e spesso, e di anfore chiote con collo bombato breve e orlo arrotolato, e la somiglianza delle argille sembravano legittimare l'attribuzione delle due classi ad uno stesso centro di produzione (11). Varie considerazioni si oppongono, tuttavia, a tale attribuzione:

1. non sono attestate anfore simili dagli scavi condotti nell'isola di Chios, sul sito di Kofinà Ridge, che, pure, ha restituito numerose anfore grezze di produzione locale, scaglionate in un vasto arco cronologico (12);

2. le anfore «chiote» sono concentrate, come abbiamo visto, in Magna Grecia e in Sicilia, mentre sono assenti, tra gli altri, da un centro come Gravisca (13), che, pure, riceveva una rilevante quantità di anfore e di altro vasellame da Chios (14);

3. considerazioni tipologiche motivano il rigetto dell'attribuzione della classe a Chios da parte di C. Jones Eiseman (15), che ne ha pubblicati tre esemplari, rinvenuti nel 1970 su un relitto nella baia di Porticello (RC), associati con anfore di Mende, con alcune anfore di produzione punica (o moziese) e con anfore riferibili all'area del Bosforo;

4. al di fuori delle aree indicate, anfore «chiote» provengono da Istria; studiate da V. Canarache (16), esse sono state attribuite a Sinope. L'attribuzione non mi pare affatto inverosimile, soprattutto in considerazione della vicinanza di Sinope a Mende e all'area del Bosforo, da dove provengono, come si è detto, una parte delle anfore associate con le «chiote» sul relitto di Porticello. L'attribuzione è inoltre stimolata dalla circostanza che sul collo di un'anfora della stessa classe proveniente da Mozia è dipinto in vernice rossa un *sigma* (17): un'ipotesi «*sigma* = Sinope» non è forse da scartarsi prima di averla considerata con attenzione.

---

(5) Cfr. nota 3.
(6) Cfr. l'articolo cit. in nota 4.
(7) L. Bernabò Brea-M. Cavalier 2, p. 200 s; p. 5 fig. 1, tavv. XLI. 8, LII. 4, LIII. 1, 3; M. Cavalier, pp. 39 ss., 75 s., 80 s.
(8) I. Tamburello, p. 291, fig. 36.a; R. Camerata Scovazzo-G. Castellana, p. 132 s., figg. 12, 13, 23.
(9) V. Tusa, p. 20, tav. 15.
(10) G. Vallet-F. Villard, tav. 71.
(11) N. Di Sandro 1, p. 9.
(12) J.K. Anderson, pp. 168-170.
(13) Cfr. M. Slaska 1. In un incontro avuto a Roma nel gennaio 1982, la studiosa mi informò gentilmente di non aver mai incontrato, nel corso del proprio lavoro sulle anfore in Etruria meridionale, esemplari simili a quelli campani che le mostravo in fotografia.
(14) Cfr. M. Martelli Cristofani, p. 162 s., e M. Slaska 1, pp. 228-230. Numerose anfore chiote dall'Etruria meridionale sono inoltre esposte nella mostra «Le anfore da trasporto e il commercio arcaico in Etruria», Museo di Villa Giulia, Roma, e sono pubblicate nel catalogo della mostra stessa.
(15) C. Jones Eiseman, p. 19 s. e fig. 3.
(16) V. Canarache: si osservi l'esemplare pubblicato a p. 93, fig. 20.
(17) L'anfora è pubblicata con la semplice didascalia «anfora acroma», e senza descrizione della pasta, in V. Tusa, p. 20; il disegno compare nella tav. XV. L'autore la data alla metà circa del VI secolo a.C. Cfr. lo stesso segno sull'anfora «chiota» cat. 32 in M. Cavalier, tav. VIII c, pubblicata quando questo volume era già in bozze.

Ferme restando, dunque, le perplessità già espresse a proposito del rapporto fra le anfore «chiote» e altre classi anforarie, credo che l'attribuzione della classe ad officine di Sinope possa essere proposta come ipotesi di lavoro. Finché non si siano raggiunte certezze, comunque, positive o negative che siano, preferisco conservare la denominazione finora impiegata — quella di anfore «chiote» — per non contribuire ad alimentare il già notevole caos caratterizzante lo studio sulla classe.

Per quanto concerne la collocazione cronologica della serie, gli esemplari rinvenuti in Campania, come ho accennato sopra, si situano fra la prima metà del V secolo e la fine del IV. Una datazione meno generica non è proponibile per i frammenti pithecusani, generalmente troppo ridotti perché si possano cogliere quelle caratteristiche tipologiche che segnano i diversi momenti nell'evoluzione della classe.

Non ho ritenuto utile pubblicare nel catalogo le schede relative ai frammenti SG 165-173, pareti di ventre attribuite alla classe solo perché realizzate nella pasta arancione riconosciuta come tipica della classe stessa.

SG 137

Frammento di labbro con parte del collo.

Argilla rosso scuro con finissimi granelli bianchi e alcuni inclusi neri; tracce di probabile ingubbiatura crema.

Labbro convesso con massima espansione alta, sottolineato sul collo da una pronunciata risega.

H: 7
ð int.: 11
labbro: h: 2,8
        spess.: 1,8

Il labbro rientra fra quelli che, nell'introduzione a questa sezione, abbiamo indicato come di incerta appartenenza alla classe «chiota», per la somiglianza che presentano con labbri in pasta rossa con superfici grigie e ingubbiatura biancastra. Si confronti *supra,* p. 00. È da notare, comunque, che il profilo interno piega verso l'esterno con una linea curva ininterrotta, in ciò dissimile dai labbri SG 99-101 e 103.

SG 138

Frammento di labbro con frazione del collo.

Argilla arancio molto fine, a tessitura compatta, disseminata di minutissimi granelli bianchi con pochissima mica puntiforme; si conserva abbastanza bene l'ingubbiatura crema, non troppo spessa ma resistente, «tirata» fino al bordo interno del labbro.

Labbro pieno a profilo convesso, con la massima espansione alta, sottolineato sul collo da una risega (o, piuttosto, da un listello breve e rilevato).

H: 5,3
ð int., ric.: 12
labbro: h. 3,1
        spess.: 2
risega: h: 0,5.

SG 139

Frammento di labbro e collo.

Argilla omogeneamente arancione, con finissimi granelli bianchi e, in minore densità, neri; poca mica finissima; spessa ingubbiatura crema di cui restano tracce anche lungo la parete interna del labbro; frattura dura e ruvida; tessitura compatta.

Labbro pieno a profilo convesso, con la massima espansione alta, sottolineato da una risega all'inizio del collo; collo a pareti lievemente convesse; il profilo interno del labbro, leggermente concavo, segue l'andamento della parete esterna.

H: 8,5

⌀ int., ric.: 11,2

labbro: h: 2,8

     spess.: 1,8

Rientra nel gruppo di cui al commento del frammento SG 137, anche se in questo caso il profilo del collo garantisce l'esattezza dell'attribuzione alla classe «chiota».

SG 140

Frammento di labbro e collo.

Argilla arancione a tessitura fine; finissimi granellini bianchi sono omogeneamente diffusi nell'impasto, insieme con poca mica puntiforme; spessa ingubbiatura crema, della quale si notano tracce anche lungo il bordo interno del labbro.

Labbro pieno a profilo convesso con massima espansione alta, sottolineato all'inizio del collo da una risega scanalata; collo a pareti convesse.

H: 5,7

⌀ int., ric.: 12,6

labbro: h: 2,8

     spess.: 1,6

Rientra nel gruppo di labbri di cui nel commento al frammento SG 137; il profilo del collo ne assicura, in questo caso, l'appartenenza alla classe «chiota».

SG 141

Frammento di labbro e collo.

Argilla rossa, con nucleo grigio e superficie in alcuni punti color porpora; presenta una notevole densità di piccoli granelli bianchi e contiene pochissima mica; frattura concoidale; tracce di spessa ingubbiatura crema rilevabili anche lungo la parete interna del labbro.

Labbro pieno a profilo convesso, con max. espansione alta, la cui parete interna segue moderatamente il profilo esterno; risega sul collo, subito sotto il labbro; alto collo a pareti convesse.

H: 13,5

⌀ int., ric.: 14

labbro: h: 3,1

     spess.: 1,6

Incluso nel gruppo di labbri con confronti fra le imitazioni di anfore marsigliesi, l'appartenenza di questo frammento alla classe «chiota» è però qui assicurata dal profilo convesso del collo.

SG 142

Frammento di labbro con una frazione del collo.
Argilla arancio-bruna, dura e ruvida, con granelli bianchi e color ambra: nucleo tendente al grigio-camoscio; tracce di ingubbiatura bianca lungo la parete interna.
Labbro pieno a sezione convessa con max. espansione alta, sottolineato sul collo da una risega; collo possibilmente a pareti convesse. Le pareti interne seguono il profilo di quelle esterne.
H: 4,8
Ƀ int., ric.: 11
labbro: h: 2,9
        spess.: 2

L'esterno non conserva tracce di ingubbiatura, ma la presenza di questa lungo le pareti interne dimostra che in origine il vaso doveva esserne ricoperto. Il collo potrebbe essere stato bombato, a giudicare dall'inclinazione del frammento di parete che ne resta. Tipologicamente, il labbro rientra ancora nel gruppo di cui al fr. SG 137.

SG 143

Frammento di collo con l'attacco superiore di un'ansa.
Argilla arancio vivo, a superficie ruvida e grana compatta, contenente finissimi granelli bianchi e granuli rosso scuro.
Alto collo a pareti convesse; ansa a sezione ovale leggermente sormontante il punto di attacco. Il collo è stato lavorato separatamente e sovrapposto alla spalla.
H: ca 11
collo: ∅ sup. int., ric.: 10,2
ansa: sez.: 3,7×2,2

Il collo sovrapposto alla spalla sembra, negli esemplari campani, indice di maggiore antichità all'interno della classe: si confronti, per esempio, l'anfora dalla T. 1 di Càsola di Napoli, in N. DI SANDRO I, p. 9.

SG 144

Frammento di collo e spalla.
Argilla arancio vivo, a grana fine e compatta, disseminata di finissimi granelli bianchi opachi, con poca mica puntiforme; inclusi neri di aspetto non cristallino; qualche impronta di foraminifero (?) visibile in frattura; frattura concoidale; tracce di ingubbiatura giallina.
Alto collo a pareti convesse, nettamente distinto dalla spalla; spalla obliqua a pareti tese.
H: 14
collo: h: 11,5
        ∅ int., alla base, ric.: 8,8

SG 145

Frammento di collo con l'attacco superiore di un'ansa.

Argilla rossa disseminata di finissimi granelli bianchi, con alcuni granuli neri; la parete esterna conserva l'ingubbiatura crema, sottile ma resistente.

Collo a pareti convesse; grossa ansa a sezione ovale.

H: 5,7
collo: $\emptyset$ sup. int., ric.: 12
ansa: sez.: $4,8 \times 2,2$

SG 146

Frammento di collo, con l'attacco sulla spalla.

Argilla arancione a grana fine e compatta, disseminata di finissimi granelli bianchi con poca mica puntiforme; superficie annerita, tendente al grigio-porpora, coperta da ingubbiatura giallina.

Collo a pareti convesse sovrapposto alla spalla; spalla probabilmente obliqua.

H: 9,4
collo: $\emptyset$ sup. int., ric.: 10,6.

SG 147

Frammento di collo, con l'attacco di una parete divergente.

Argilla arancione, a grana fine e compatta, disseminata di finissimi granelli bianchi e con poca mica puntiforme e poco quarzo; superficie interna a tratti leggermente brunita; perfettamente conservata l'ingubbiatura bianco-crema, leggera ma resistente; frattura concoidale.

Collo a pareti convesse, impostato su spalla obliqua.

H: 6,5

Le pareti sono più sottili e l'argilla è più leggera rispetto ai frammenti raggruppati nella classe «chiota», anche se la composizione della pasta non appare sostanzialmente diversa da quella degli altri pezzi.

SG 148

Fondo.

Argilla rossa disseminata di finissimi granelli bianchi, con qualche incluso nero e rosso; pochissima mica puntiforme; tracce di ingubbiatura biancastra che, per effetto di cottura, si presenta annerita intorno alla parte inferiore del fondo.

Fondo a pomello, internamente cavo, dal quale si alzano le pareti sinuose di un ventre slanciato.

H: 8,4
pomello: h: 2,7
$\emptyset$: 4,7

Il fondo a pomello si confronta esattamente con il fondo delle anfore «chiote» dalla terraferma campana: cfr. N. Di Sandro 1, fig. 1 e pag. 9.

SG 149

Fondo.
Argilla rosso-arancio disseminata di finissimi granelli bianchi; pochissima mica puntiforme; tracce di ingubbiatura bianca; il frammento è totalmente annerito.
Fondo a pomello internamente cavo; ventre slanciato.
H: 5
fondo: h: 2,3
$\emptyset$: 4,9.

SG 150

Fondo.
Argilla arancio-nocciola, smagrita con finissimi granelli bianchi; pochissima mica puntiforme; tracce di ingubbiatura crema.
Fondo a pomello emisferico internamente cavo; ventre dalle pareti sinuose e slanciate.
H: 10,3
fondo: h: 2
$\emptyset$: 4,8.

Differisce dai frammenti SG 148 e 149 solo perché il pomello è più spiccatamente tondeggiante.

SG 151

Frammento di fondo.
Argilla arancione con superficie arancio-nocciola, smagrita con finissimi granelli bianchi e alcuni scuri; pochissima mica puntiforme.
Fondo a pomello emisferico, internamente cavo.
H: 2,4
$\emptyset$: 4,8.

SG 152

Fondo.
Argilla arancione con superficie arancio-nocciola, smagrita con finissimi granelli bianchi e — in minor quantità — scuri, di taglia media; pochissima mica puntiforme.
Fondo a punta ingrossata, internamente cavo.
H: 4,7
punta: h: 2,1
$\emptyset$: 4,4

L'argilla di questo frammento differisce da quella dei fondi SG 148-151, perché qui gli sgrassanti hanno taglia maggiore e sui granelli bianchi prevalgono granuli rossicci e nerastri; la frattura è meno dura e l'impasto più morbido. Per quanto attiene alla forma, SG 152 è meno distinto dalle pareti del ventre di quanto non lo siano i pomelli precedenti e si presenta, tutto sommato, più simile ad una punta ingrossata. Nonostante le lievi variazioni tipologiche, la derivazione da un comune tipo teorico mi sembra però indiscutibile.

SG 153

Fondo.

Argilla arancione smagrita con finissimi granelli bianchi e con alcuni granelli scuri di taglia un pò più grande, con qualche incluso calcareo e con impronte lasciate da foraminiferi planctonici (?).

Piccolo fondo svasato arrotondato alla base, lievemente ombelicato e internamente cavo; il ventre dovrebbe aver avuto una linea più espansa degli esemplari precedenti.

H: 4,1

punta: h: 1,2

$\varnothing$ base: 4

L'aspetto della punta è diverso rispetto ai frammenti precedenti; tuttavia, l'argilla sembra indicare appartenenza alla stessa classe «chiota».

SG 154

Frammento di fondo.

Argilla rossa, contenente finissimi granelli bianchi e neri e particelle rossastre; cosparsa di finissima mica incolore.

Piccola punta arrotondata internamente cava ed esternamente non distinta dalle pareti tese del ventre slanciato.

H: 6

punta: h: ca 1

$\varnothing$: 3,3

L'argilla si confronta con quella dei frammenti indicati come «chioti», mentre l'aspetto del fondo richiama vagamente SG 153.

SG 155

Frammento di collo con attacco del labbro.

Argilla arancione con finissimi granelli bianchi e mica puntiforme; tracce di ingubbiatura crema.

Labbro probabilmente arrotondato, sottolineato da una leggera risega sul collo; collo probabilmente a pareti convesse.

Subito sotto la risega il frammento presenta un'incisione a crudo (?) che non sembra continuasse oltre il frammento stesso.

H: 5,1.

SG 156

Frammento di parete (spalla?).

Argilla arancione, fine e dura, smagrita con finissimi granelli bianchi; poca mica incolore puntiforme; ingubbiatura bianca.

Reca un segno alfabetico graffito sull'argilla indurita ma non ancora cotta, interrotto in basso dalla frattura del vaso: probabilmente ϕ.

H: 7,3
Graffito: $\varnothing = 4,5 \times 4$ (interrotto)

Attribuito alla classe in base alla pasta.

SG 157

Frammento di spalla.
Argilla arancione, smagrita con fini granelli bianchi; spessa ingubbiatura crema. Il frammento è incrostato.
Alta spalla obliqua a pareti leggermente convesse.
Sulla spalla è dipinto in rosso un alpha.
Lungh.: 13
Largh.: 10,5.

SG 158

Frammento di ansa con l'attacco superiore.
Argilla rosso porpora smagrita con finissimi granelli bianchi; spessa ingubbiatura bianca, che assume una tonalità quasi verdastra; poca mica puntiforme dorata; tessitura a grana compatta e fine.
Ansa a sezione ovale impostata con notevole rientranza fra il collo convesso e la spalla.
sez. ansa: $4,2 \times 2,3$.

SG 159

Attacco superiore di un'ansa.
Argilla arancio con finissimi granelli bianchi e spessa ingubbiatura crema: poca mica incolore puntiforme; impasto molto morbido.
Attacco di ansa a sezione ovale.
sez. ansa: $3,9 \times 1,6$

SG 160

Frammento di ansa con l'attacco inferiore.
Argilla arancio con nucleo tendente al bruno, molto omogenea; smagrita con granelli bianchi finissimi; poca mica puntiforme; tenui tracce di ingubbiatura bianca.
Ansa a sezione circolare schiacciata, impostata sulla spalla obliqua.
sez. ansa: $3,8 \times 2,5$

Attribuita alla classe per le caratteristiche della pasta.

SG 161

Ansa.
Argilla arancione disseminata di finissimi granellini bianchi con alcuni inclusi porpora; pochissima mica incolore puntiforme.

Ansa a sezione ovale, conservata per intero, ad eccezione degli attacchi; lievemente sormontante il punto di attacco superiore, dopo una breve sezione orizzontale scende verticalmente sulla spalla.

H: 16 ca
Lungh.: 20,5
sez.: 4,5 × 2,5.

SG 162

Frammento di ansa.
Argilla rossa, ruvida e a grana fine, smagrita con finissimi granelli bianchi; spessa ingubbiatura biancastra perfettamente conservata.
Ansa a sezione semi-ovale, con faccia esterna piatta.
sez.: 4,5 × 2,4

Attribuita alla classe «chiota», come tutte le precedenti, per le caratteristiche dell'argilla.

SG 163

Frammento di ansa.
Argilla arancione disseminata di finissimi granelli bianchi; pochissima mica puntiforme; spessa ingubbiatura bianca.
Ansa a sezione ovale.
sez.: 3,8 × 2,2

Il frammento è stato attribuito alla classe per le caratteristiche dell'argilla.

SG 164

Frammento di ansa.
Argilla arancio con nucleo tendente al bruno, molto omogenea, smagrita con granelli bianchi finissimi; poca mica puntiforme; tracce di ingubbiatura bianca.
Ansa a sezione ovale.
sez.: 4 × 2

Il frammento è stato attribuito alla classe per le caratteristiche dell'argilla.

7. Le anfore samie

Finora completamente assenti dalla necropoli di San Montano, anfore samie sono state invece riconosciute in almeno undici frammenti dallo Scarico Gosetti. Si tratta perlopiù di fondi (7 frr) che richiamano tutti, con differenze poco rilevanti, il tipo di fondo che M. Slaska (1) definisce «a bottone cavo»; i labbri sono due, e due sono anche i frammenti di anse.

L'attribuzione a fabbrica samia è sicura per quasi tutti i frammenti: resta, infatti, qualche perplessità solo per il fondo SG 181 che, mentre per il tipo richiama strettamente gli altri fondi attribuiti all'isola, se ne distacca poi sia per l'argilla — molto più dura e secca — sia anche per alcuni particolari tipologici.

All'interno della fabbrica samia resta invece talora insicura l'attribuzione di frammenti ad anfore piuttosto che ad altre classi ceramiche: mi riferisco al labbro SG 175 e al fondo SG 182 che, inseriti in catalogo per un'esigenza di completezza, potrebbero però con altrettanta probabilità appartenere a grosse lekythoi come quelle ritrovate a Gravisca (2).

Di singolare interesse è il frammento SG 179, un fondo riparato con una «toppa» di argilla di aspetto diverso da quella impiegata per l'anfora.

Le due anse, infine, rivestono anch'esse un certo interesse: SG 183 presenta un bollo che esula dai tipi segnalati nella letteratura sulla classe (3): un'anfora frazionaria (?) a dx. di un'anfora di grandezza normale. La singolarità del bollo risiede nella giustapposizione delle due anfore e, se la lettura è corretta, nell'attestazione dell'esistenza di anfore samie frazionarie. Il confronto più vicino per il nostro bollo è un bollo pubblicato dalla Grace (4), dove, però, l'anfora è singola. Esso richiama anche i tipi di alcune monete di Samos, nelle quali generalmente accanto all'anfora compare un ramoscello di ulivo (5).

La seconda ansa, SG 184, certamente troppo sottile per appartenere ad un'anfora di dimensioni normali, sembrerebbe da riferirsi piuttosto ad un'anfora frazionaria. Non conosco, però, altre anfore samie frazionarie, a parte quella raffigurata nel bollo sull'ansa SG 183, che, come si è visto, è di lettura incerta.

Dai frammenti recuperati — pochi e piccoli — non è possibile risalire all'aspetto generale delle anfore samie presenti nello Scarico Gosetti. Il confronto più immediato per i fondi viene da Gravisca (6) ma, purtroppo, nemmeno i frammenti graviscani permettono di ricostruire esemplari interi. Resta così del tutto incerta la cronologia dei nostri frammenti. La Slaska informa che piedi a «bottone cavo» provengono da uno scarico nell'Heraion di Samos, datato intorno alla metà del VI secolo (7). Se questa vaga datazione può

---

(1) Cfr. M. SLASKA 1, p. 227.
(2) Pubblicate in M. SLASKA 1, p. 223 e figg. 1-4, si tratta purtroppo anche a Gravisca solo di frammenti pertinenti a fondi e labbri, con qualche ansa, che non permettono di ricostruire i vasi nel loro aspetto completo.
(3) Cfr. le tavv. 12-14 in V. GRACE 2, dedicate interamente a bolli impressi sulla curva di anse di anfore samie.
(4) V. GRACE 2, tav. 13.36; la stessa foto è riprodotta ingrandita nella tav. 15.10.
(5) Cfr.: V. GRACE 2, tav. 15, nrr. 6, 7, 8, 12; H.B. MATTINGLY, pp. 81-85, tenta di identificare i tipi di anfore raffigurati su monete samie e di datare le serie monetali e i tipi anforari mediante confronti a catena. Le sue figure **e, h, j** riproducono le monete illustrate in V. GRACE 2, tav. 15.6, 7, 8; inedita è la moneta raffigurata in fig. **l**.
(6) Cfr. M. SLASKA 1, figg. 7-10.
(7) Cfr. M. SLASKA 1, p. 227.

applicarsi anche per i frammenti pithecusani, allora le anfore a cui essi sono pertinenti si collocano in un gruppo più recente rispetto alle due anfore samie da Santa Maria Capua Vetere, ma prima di quelle da Fratte, che sono le sole altre anfore di questa fabbrica attestate in Campania, oltre ai frammenti di Ischia (8).

Ci si renderà conto di quanto sia alta la presenza di anfore samie a Pithecusa rispetto alla terraferma. Si consideri inoltre che, mentre nel caso di Pithecusa si può pensare ad un gruppo piuttosto omogeneo di anfore, inquadrabile in un periodo limitato di tempo, gli esemplari da Capua e quelli da Fratte rappresentano invece episodi casuali nei rispettivi contesti e affatto isolati in Campania, riferibili a due momenti ben distanti fra loro e in nessun modo inquadrabili in un movimento commerciale di qualche portata o continuità.

Un quadro tipologicamente e cronologicamente più coerente con quello di Pithecusa sembra, invece — per quanto è dato giudicare in base a frammenti — quello fornito da Gravisca, dove per la seconda metà del VI secolo, sono attestate meno di 30 anfore samie (9). Una presenza più cospicua di anfore samie è segnalata a Pisa, fra la fine del VI secolo e il V avanzato (10), e a Camarina, durante il VI secolo (11).

La letteratura occidentale sulla classe si è allargata rapidamente da quando, nel 1971, Virginia Grace situò correttamente a Samos il centro di produzione di un gruppo di anfore precedentemente attribuite a Cipro (12). Il centro di produzione era già stato riconosciuto dalla Zeest (13) e indicato, successivamente, da Suzana Dimitriu (14) e da Joseph Braschinsky (15), ma, come si vede, la difficoltà di accedere alle pubblicazioni in russo e in rumeno ha ritardato di oltre un decennio gli studi occidentali sulla classe (16). Per informazioni

---

(8) Cfr. N. Di Sandro 1, p. 7 s. Le anfore da Capua provengono dalle tombe 1579 (datata al 640-620) e 1584; una di quelle da Fratte proviene dalla T. 73 (datata dal contesto alla metà circa del V sec. a.C.) ed è illustrata nella fig. 3.3 dell'articolo citato. Alle anfore samie presentate nel mio articolo deve esserne aggiunta una quarta, che all'epoca inclusi fra quelle di fabbrica non identificata: si tratta dell'anfora dalla T. 75 di Fratte, tomba il cui corredo è andato confuso e non è, purtroppo, ricostruibile. L'anfora si confronta perfettamente con almeno due esemplari conservati a Villa Giulia: inv. VG 90 (da Cerveteri, necropoli della Banditaccia), e inv. VG 126 (da Cerveteri, necropoli di Monte Abatone, T. 155). Le fotografie di queste anfore sono pubblicate in un opuscolo distribuito a cura della dr. Pelagatti, che ha preceduto il catalogo delle anfore esposte nel museo di Villa Giulia in occasione della mostra «Le anfore da trasporto e il commercio arcaico in Etruria». Lo stesso opuscolo data il tipo — caratterizzato da spalla spiovente, corpo piriforme, collo corto con labbro a cordone bombato — alla fine VII-inizi VI secolo a.C. (la datazione è in realtà quella dei corredi contenenti le anfore in questione).
(9) Infatti, alla cifra di 30 frr. fornita da M. Slaska 1, p. 224, bisogna sottrarre i fondi «con piede ad alto anello e sezione rettilinea svasato verso la base e carenato sulla costa», «attribuiti erroneamente a queste anfore» (p. 227, nota 1).
(10) O. Pancrazzi, p. 332 s. fornisce le seguenti cifre: a Pisa sono stati raccolti 1450 frr. di anfore da trasporto; il 70% dei frr. è pertinente ad anfore orientali, e, fra queste, il 60% è tenuto da anfore samie (rappresentate, pertanto, da ca 609 frr.).
(11) Nel corso del Seminario di Studi sulle Anfore Arcaiche, Valbonne, 5-6 nov. 1982, Paola Pelagatti ha segnalato il rinvenimento di 39 anfore samie a Camarina, nella necropoli di Rifriscolaro, dove erano state riutilizzate per sepolture ad enchytrismos. La Pelagatti precisò che nel conteggio erano state incluse, con la denominazione «Samos tipo 2», anfore considerate milesie da Pierre Dupont.
(12) V. Grace 2.
(13) J.B. Zeest, tav. 1.3
(14) In *Histria II*, nrr. 423-427.
(15) J. Braschinsky, *Krat. Sov. Inst. Arch*, CIX, 1967, pp. 22-24, cit. in H.B. Mattingly, p. 81 e nota 19.
(16) Purtroppo, l'handicap della lingua inficia gravemente anche la nostra conoscenza di altre classi anforarie, meglio attestate nell'area del Mar Nero che in ambienti occidentali: fra queste, le anfore di Chios e di Sinope.

più organiche sull'evoluzione e sulla diffusione delle anfore samie rimando, dunque, alle pubblicazioni citate (*in primis*, all'articolo della Grace) e, più recentemente, ad articoli di M. Slaska (17), di H.P. Isler (18), di H.B. Mattingly (19) e, per la situazione in Campania, al mio articolo, già citato (20). Vorrei però avvertire che, nonostante i numerosi contributi allo studio della classe, l'unico tentativo di organizzare le anfore samie in una tipologia generale resta quello della Grace, e che non sono state superate ancora tutte le sue incertezze né colmate le lacune cronologiche lasciate dal suo studio.

Permangono altresì incertezze relative alla pasta e al contenuto delle anfore samie.

La pasta delle anfore samie varia nell'aspetto entro una certa gamma: ciò è stato rilevato da molti degli studiosi che si sono occupati della classe. Secondo Mrs. Petropoulakou (21) «the clay is relatively fine compared with that of other container-amphoras; it is usually fired red or reddish, sometimes quite dark red, sometimes brownish or grayish at core or even through most of the thickness of the handle; the surface is often buff or yellowish; and mica is apparently always visible on a clean surface, less so on breaks». Per Technau (22) «(the plain wares) have much mica but great variation in color (...) (The structure) is hard to define, but recognizable in the hand». Per quanto riguarda le anfore samie illustrate nella tavola 1.3 della Zeest, «their clay is pale and very micaceous and has a layered construction» (23). V. Grace parla di «micaceous and usually reddish clay» (24), ma nota una variazione nella pasta delle anfore samie con anse bollate di epoca ellenistica: «it is red, reddish or brown, sometimes fired reddish at the core; it is coarser than that of the earlier Samian (?) jars above identified, and contains numerous white bits as well as mica in varying quantities. So far as can be told by the naked eye, I think this could be a fortified version of the clay of the earlier jars» (25). M. Slaska attribuisce a lekythoi e anfore samie «un impasto marrone chiaro-rossiccio (...) con nucleo a volte grigiastro; l'impasto è molto fine, morbido, fortemente micaceo, pastoso e 'grasso' nell'aspetto, con inclusi di sabbia incolore a granelli minutissimi e piuttosto rari e con singoli granuli bianchi visibili in superificie, che raggiungono a volte la grossezza di alcuni millimetri; la mica è finissima, di colore giallo o bianco (...). Nell'ambito di questo gruppo si può distinguere un certo numero di esemplari con argilla leggermente differente: più dura e «secca» nel suo aspetto, di colore rosa-nocciola o rosa, senza assumere i toni più 'bruciati'» (26).

I frammenti pithecusani rispondono abbastanza bene alle varie descrizioni fornite per gli impasti di Samos, in particolare a quella della Slaska, che aggiunge notazioni «tattili», preziose quando l'aspetto, il colore della pasta è così vario. Inoltre, l'osservazione di esemplari in argilla più secca e dura che la studiosa fa recupera verosimilmente alla classe il frammento SG 181, di cui si è parlato sopra. Mi lascia però un po' perplessa l'insistenza,

(17) M. Slaska i, pp. 223-225 e 227.
(18) H.P. Isler, p. 82.
(19) H.B. Mattingly, pp. 81-85.
(20) Citato in nota 8, *supra*.
(21) cit. in V. Grace 2, p. 72 s.
(22) cit. in V. Grace 2, p. 73.
(23) cit. in V. Grace 2, p. 73 nota 55.
(24) V. Grace 2, p. 73.
(25) V. Grace 2, p. 83.
(26) M. Slaska i, p. 223.

in tutte le descrizioni riportate, sulla presenza di abbondante mica nella pasta, laddove i frammenti dallo Scarico Gosetti presentano in genere solo poca finissima mica, perlopiù incolore, in ciò non dissimili dalle anfore dalla terraferma campana (27), e, inoltre, da un gruppo di anfore samie da Pisa (28).

Per concludere, una breve nota sul contenuto delle anfore samie. La tesi generalmente accolta è che queste anfore contenessero olio, e le argomentazioni a sostegno della tesi stessa sono indubbiamente convincenti: esse si fondano perlopiù sulla notorietà dell'olio samio durante l'antichità (29), sull'associazione dell'anfora con un ramoscello di ulivo su alcune monete dell'isola (30), sulla scarsa presenza di anfore samie ad Atene, centro a sua volta produttore ed esportatore di olio (31), e sulla presenza, a Samos, di numerose anfore vinarie di importazione, a dimostrare una scarsa o scadente produzione locale di vino (32). La tesi, come si vede, è solidamente documentata, e io stessa l'ho accolta senza riserve nel passato (33).

Vorrei tuttavia segnalare la singolarità, in un contesto «oleario», di alcuni bolli impressi su anse di anfore della classe, raffiguranti brocche o kantharoi (34), e invitare a considerare se questi non debbano indurci perlomeno a rivedere criticamente la tesi considerata, a riprendere lo studio su un problema da tempo accantonato perché «risolto».

SG 174

Frammento di labbro con frazione del collo.

Argilla bruno-nocciola tendente al grigio-camoscio dove è maggiore lo spessore della parete, molto fine e morbida, contenente pochissimi granellini bianchi e poca mica puntiforme.

Labbro a sezione semicircolare piena, impostato sul collo senza alcuna risega o listello di raccordo.

H: 4,7

ʘ int., ric.: 13,2

labbro: h: 2,5

spess.: 1,6

Tanto l'argilla quanto il profilo del labbro si confrontano perfettamente con quelli dell'anfora samia illustrata in M. SLASKA 1, fig. 5.

---

(27) Cfr. N. DI SANDRO 1, p. 8.
(28) Cfr. O. PANCRAZZI, p. 336. La studiosa distingue tre varianti di pasta per le anfore da lei studiate a Pisa, contenenti quantità variabili di mica. Il terzo gruppo, in particolare , si caratterizza per il «colore bianco-beige, con tracce di ingubbiatura chiara, frattura a volte rosata; ruvida; senza mica».
(29) Cfr. i passi di Anacreonte e di Eschilo citati in V. GRACE 2, p. 80 e nota 70.
(30) Cfr. l'articolo di H.B. MATTINGLY, pp. 81-85, che riprende spunti già presenti in V. GRACE 2, p. 79. Si veda la nota 5, supra.
(31) Cfr. V. GRACE 2, p. 80.
(32) Cfr. H.B. MATTINGLY, p. 81, nota 24.
(33) Cfr. N. DI SANDRO 1, p. 11.
(34) Cfr. V. GRACE 2, tav. 13: nrr. 38-39 (brocche) e 40-42 (kantharoi su piede di tipo etrusco).

SG 175

Frammento di labbro e collo.

Argilla color nocciola rosato, molto fine, compatta ma morbida, dall'aspetto «grasso»; contiene pochissimi inclusi neri e color porpora scuro, e poca finissima mica.

Labbro a sezione semicircolare piena; collo verticale segnato da una morbida risega 1,1 cm sotto il labbro.

H: ca 7
Ø int., ric.: 15
labbro: h: 3,6
     spess.: 2

L'argilla orienta verso una fabbrica samia: si confrontino, al riguardo, la descrizione della pasta samia in M. SLASKA 1, p. 223, e quella in V. GRACE 2, pp. 72-74. Tuttavia, la risega sul collo, assente dalle grandi anfore indicate come tipiche della produzione samia intorno alla fine del VI secolo-inizi del V, orienterebbe forse verso un'attribuzione del frammento ad una grossa lekythos: si veda M. SLASKA 1, fig. 1. Un ulteriore confronto è possibile con l'anfora nr. 846 in *Histria II,* attribuita, con riserva, ad un imprecisato centro di influenza attica. A questo riguardo, non è forse da sottovalutare il fatto che il nostro frammento ammette confronti con labbri di anfore «SOS» del tipo più arcaico. In questo studio, p. es., esso si sovrappone tipologicamente, per la parte che ne rimane, al fr. SG 12, pur discostàndosene per l'argilla.

SG 176

Fondo.

Argilla nocciola rosato, molto fine e morbida ma secca; contiene minutissimi granelli bianchi e neri e mica puntiforme incolore.

Ampio fondo troncoconico, smussato e arrotondato al passaggio dalla parete esterna alla base di appoggio, inferiormente cavo; ventre dalle pareti molto spesse.

H: 6
fondo: h: 2,7
     Ø inf.: int.: 4
          est.: 8

Il fondo è del tipo a «bottone cavo» illustrato da M. SLASKA 1, figg. 7-10, e da lei attribuito, in base a confronti con materiale dall'Heraion di Samos, alla metà circa del VI sec. a.C. (p. 227). Fondi simili sono illustrati anche in *Histria II* (si veda in particolare il frammento nr. 424), attribuiti ad epoca arcaica.

SG 177

Fondo.

Argilla arancio-bruna, molto fine e morbida, leggermente «grassa», contenente radi, finissimi granelli bianchi e finissima mica puntiforme; ingubbiatura biancastra molto spessa e resistente.

Ampio fondo troncoconico, smussato e arrotondato al passaggio dalla parete esterna alla base di appoggio, inferiormente cavo.

H: 4,5

fondo: h: 3

$\oslash$ inf.: int.: 4,5

est.: 8

Siamo nello stesso ambito del frammento precedente, al cui commento rimando per i confronti. L'ingubbiatura è attestata anche su frammenti da Gravisca (cfr. M. SLASKA I, p. 223).

SG 178

Fondo.

Fine argilla arancio, dura e secca, contenente minutissimi granelli bianchi e mica puntiforme incolore; spessa ingubbiatura crema.

Ampio fondo troncoconico, smussato e arrotondato al passaggio dalla parete esterna alla base di appoggio, inferiormente cavo.

H: 8,5

fondo: h: 3

$\oslash$ inf.: int.: 4

est.: 7,5

L'argilla, più dura e secca rispetto agli esemplari SG 176 e 177, rientra ancora fra quelle indicate come tipiche di Samos: si veda M. SLASKA I, p. 223. Tipologicamente, il frammento non è molto dissimile dai precedenti, e la derivazione da un comune tipo teorico sembra indiscutibile.

SG 179

Frammento di fondo.

Argilla color nocciola, molto morbida, fine e compatta, contenente minutissimi granellini bianchi; scialbatura crema. La parte inferiore del fondo è «rivestita» con argilla rosso scuro disseminata di fini granellini bianchi.

Fondo troncoconico, smussato e arrotondato al passaggio dalla parete esterna alla base d'appoggio, inferiormente cavo.

H: 3,8

fondo: h: ca 3

$\oslash$ inf.: int.: 2,8

est.: 7 (ric.)

La parte inferiore del fondo cavo, si è detto, è ricoperta da un'argilla diversa da quella impiegata per la fabbricazione del vaso ed è molto simile alla pasta di certe anfore c.d. «chiote». Si tratta con ogni probabilità di una «toppa» applicata ad un vaso difettoso o rotto in un centro che sarebbe interessante individuare. Fra le ipotesi possibili rientrano la stessa Samos (in tal caso il diverso aspetto dell'argilla della «toppa» sarebbe un esisto di cottura), Ischia, oppure uno degli anelli della rotta commerciale seguita nella distribuzione dell'olio (35) samio.

SG 180

Fondo.
Argilla rosa con sfumatura nocciola verso l'esterno, molto fine e contenente pochi finissimi granelli bianchi; scialbatura giallina; non vi è mica evidente, ma bisogna considerare che il frammento è molto incrostato.
Fondo a bottone cavo.
H: 7,9
fondo: h: 2,7
⌀ inf.: int.: 3,6
est.: 7,5

L'aspetto del fondo SG 180 differisce leggermente da quello dei frammenti SG 176-179 in quanto il passaggio dal ventre al piede è più morbido, segnato da un'ampia concavità, e dunque il piede stesso non è nettamente troncoconico.

SG 181

Fondo.
Argilla arancio chiaro-nocciola, durissima, con frattura concoidale, ruvida e tagliente, e tessitura fitta, contenente piccolissimi granelli bianchi e qualche incluso rossiccio, ma priva di mica.
Ampio fondo troncoconico, inferiormente cavo e con base di appoggio obliqua.
H: 4,4
fondo: h: 3,2
⌀ inf.: int.: 4
est.: 8

Il fondo è stato inserito solo tentativamente nella classe samia: l'argilla, infatti, si discosta notevolmente da quella dei frammenti precedenti, e ciò induce a prudenza, nonostante H.P. ISLER rilevi una certa variabilità nella pasta di Samos (p. 73 s.). Il frammento presenta altresì variazioni tipologiche di cui è difficile stabilire la rilevanza ai fini dell'attribuzione: si noti, in particolare, che la base di appoggio è più inclinata e larga e che la cavità inferiore è più pronunciata e rigida rispetto ai fondi precedenti.

SG 182

Fondo.
Argilla bruna, fine, molto morbida e «grassa»; nucleo e superficie interna della parete violacei; contenente polvere di sabbia bianca e poca mica puntiforme. Il frammento è molto incrostato.

---

(35) Cfr. *supra*, p. 72, la discussione relativa al contenuto delle anfore samie.

Ampio fondo svasato, con base di appoggio arrotondata e ombelicata; ventre a pareti tese.

H: 8
fondo: h: 2,9
∅: 8

L'argilla sembra samia, ma il fondo appartiene più probabilmente ad una lekythos che ad un'anfora: cfr. M. SLASKA 1, figg. 3 e 4.

SG 183

Frammento di ansa bollata, con attacco inferiore.

Argilla nocciola con nucleo grigio chiarissimo, smagrita con minutissimi granelli neri e alcuni inclusi nerastri; finissima mica incolore.

Ansa a sezione lenticolare; il bollo è impresso sulla curva, nella parte superiore dell'ansa.

Bollo circolare raffigurante un'anfora accanto ad un secondo elemento, più piccolo, probabilmente un'altra anfora, frazionaria.

H: 12,5
sez. ansa: 4,4×2,1
bollo: ∅: 1,5

Il bollo si confronta abbastanza bene con quelli pubblicati da V. GRACE 2, tav. 15.6, 7,8

SG 184

Frammento di ansa di anfora frazionaria (?).

Argilla nocciola con nucleo grigio chiarissimo e superficie cosparsa di finissima mica incolore; impasto morbido e «grasso».

Ansa a sezione lenticolare lievemente curva.

Lungh.: 7
sez.: 3,6×1,3

L'ansa è molto sottile, e ciò indica, ritengo, la pertinenza del frammento ad un'anfora frazionaria, più che ad un altro tipo ceramico. L'argilla è inconfondibilmente samia.

8. Le anfore greco-orientali

Sono riuniti sotto la comune denominazione di «anfore greco-orientali» 12 frammenti di cui non ho potuto stabilire con maggiore precisione il centro di produzione, ma che solitamente le caratteristiche della pasta suggeriscono di attribuire a quell'ambito geografico e culturale.

Si tratta più spesso di frammenti che da soli non bastano a definire le caratteristiche dell'anfora di appartenenza (anse), ma in qualche caso anche di frammenti ben caratterizzati (2 labbri e 2 fondi) per i quali mancano confronti sicuri con anfore di provenienza certa.

In alcuni casi la sensazione che si tratti di frammenti di anfore samie è molto forte.

Naturalmente, in siffatte condizioni di totale incertezza è impossibile qualunque discorso cronologico o di tipi.

Vorrei, infine, richiamare l'attenzione sulle due anse bollate SG 190 e SG 191: che provengano dalla stessa fabbrica è assicurato dal fatto che i bolli sono stati impressi con la stessa matrice, anche se si leggono in senso opposto rispetto all'attacco dell'ansa; più specificamente, come è detto nel testo, la pasta sembra motivare un'attribuzione a fabbrica samia. Orbene, la quantità di mica presente nei due frammenti e la grossezza delle scaglie variano notevolmente nei due casi: ciò rende esplicito quanto restava sottinteso nell'introduzione al capitolo precedente (cfr. *supra*, p. 71), laddove insistevo sulla relativa scarsezza di mica nelle anfore samie dalla terraferma campana e da Pithecusa contro l'abbondanza generalmente segnalata: la quantità di mica è la variante più «mobile» nella composizione di un impasto grossolano.

SG 185

Frammento di labbro con una frazione del collo.

Argilla nocciola molto fine a tessitura compatta, disseminata di minutissimi granelli bianchi con poca mica puntiforme; ingubbiatura rosa, di cui si notano scoli anche lungo la parete interna.

Labbro ripiegato su se stesso, con fessura interna a goccia, profilo esterno convesso con massima espansione alta e risega modellata inferiormente; collo a pareti verticali.

H: 5
ϕ int., ric.: 12
labbro: h: 3,3
      spess.: 2,2

Sia l'argilla che l'aspetto tipologico del frammento richiamano da presso un gruppo di labbri che M. Slaska i, attribuisce a una non determinata fabbrica greco-orientale (cfr. p. 225 e p. 227, e figg. 11-20).

SG 186

Frammento di labbro.

Argilla nocciola carico, smagrita con granelli bianchi opachi (plagioclasio?) e con molti cristalli di quarzo; nucleo grigio; frattura scistosa; ingubbiatura rosa.

Labbro a profilo convesso sottolineato sul collo da una risega allungata; la massima espansione è alta e la faccia superiore è piatta e ingrossata lungo la parete interna per un'altezza di 5 mm. Collo a pareti verticali.

H: 7,5
Ø int., ric.: 11,2
labbro: h: 2,7
        spess.: 1,7
risega: h: 0,6

Non conosco alcun confronto perfettamente calzante per questo frammento, la cui inclusione fra le anfore greco-orientali è da considerarsi, pertanto, un'ipotesi di lavoro, suggerita sia dall'aspetto generale, «tattile» dell'impasto, che dalla presenza dell'ingubbiatura rosata, assai simile a quella del frammento SG 185. Vorrei aggiungere che la risega sul collo è del tipo incontrato nelle anfore corinzie B (cfr. SG 80 e 83, per esempio), e che gli sgrassanti (abbondante quarzo e plagioclasio) si incontrano anch'essi in quella classe di anfore, anche se poi l'aspetto generale della pasta è diverso: l'argilla delle corinzie B è più «secca» e a tessitura meno fitta che nel frammento SG 186 (cfr. l'impasto di SG 82).

SG 187

Fondo.
Argilla chiara, tendente al beige rosato, molto fine e abbastanza ben depurata, contenente granelli bianchi e neri di piccola taglia e cosparsa di finissima mica puntiforme. La frattura non presenta differenze apprezzabili di colore.

Alto fondo a pareti tese svasate leggermente verso il basso, con una lieve depressione nella parte inferiore.

H: 6
fondo: h: 3,3
        Ø: 7,8

L'impasto indica una provenienza greco-orientale del frammento, forse samia. Da un punto di vista tipologico, il fondo richiama quello dell'anfora pubblicata in V. GRACE 2, fig. 3.3, pur senza essere identico ad esso. Pertanto, si è preferito lasciare vaga l'identificazione del pezzo.

SG 188

Fondo.
Argilla arancio-crema, smagrita con granelli bianchi piccoli e medi, con pochi granelli neri di piccola taglia e rossi di taglia media, e con alcuni inclusi rossicci; fine mica color ambra.

Alto fondo svasato verso il basso, con le pareti esterne smussate in basso e con lieve cavità inferiore.

H: 3,1
fondo: h: 2
        Ø inf.: int.: 3,8
               est.: 6

L'aspetto generale dell'argilla sembra riportare ad un ambito greco-orientale.

SG 189

Frammento di ansa con attacco superiore, bollata.
Pasta molto fine e ben levigata, rosso chiaro con nucleo grigio chiaro-camoscio e scial-batura camoscio; smagrita con finissimi granelli bianchi e neri, con qualche incluso color porpora; mica incolore puntiforme.
Ansa a sezione ovale lievemente sormontante il punto di attacco; collo cilindrico; il bollo rettangolare è impresso sulla curva.
Bollo rettangolare, forse da leggersi in direzione dell'attacco dell'ansa: ΠΑ. Il bollo è conservato integralmente.
ansa: sez.: 4,1 × 1,9
bollo: 1,3 × 2,3

L'argilla finissima è molto vicina a quella dell'ansa di anfora samia SG 183 e a quella di frammenti indicati più genericamente come greco-orientali: cfr. SG 185 e SG 193.

SG 190

Frammento di ansa con attacco superiore, bollata.
Argilla nocciola-arancio con nucleo camoscio e scialbatura bruno-arancio, smagrita con finissimi e radi granelli neri e bianchi, con pochi inclusi color porpora e qualche cri-stallo di quarzo; pochissima mica puntiforme; tessitura fine ma frattura ruvida.
Ansa a sezione ovale, della quale si conserva l'attacco superiore; il bollo è impresso sulla curva e si legge in direzione dell'attacco.
Bollo rettangolare, del quale restano le ultime quattro lettere, ben leggibili: ΓΙΓΕ
Ansa: sez.: 3,5 × 1,7
bollo: h: 0,9

L'argilla riporta all'ambito samio o, comunque, greco-orientale.

SG 191

Frammento di ansa, bollata.
Argilla nocciola rosato con nucleo grigio chiarissimo e scialbatura dello stesso colore dell'argilla di base; smagrita con finissimi granelli neri e color ambra e con alcuni inclusi rossi; mica scura a scaglie medie e incolore puntiforme.
Ansa a sezione lenticolare; il bollo è impresso sulla curva e si legge dall'attacco.
Bollo rettangolare del quale si conservano integralmente le ultime quattro lettere, con un tratto orizzontale pertinente alla quintultima: —ΓΙΓΕ
ansa: sez.: 3,5 × 1,7
bollo: h: 0,9

Il bollo è identico a quello sul frammento SG 190, ma impresso in senso opposto; l'argilla, invece, è piu micacea e meglio levigata.

SG 192

Ansa con attacco inferiore.

Argilla finissima, morbida e «grassa» al tatto, nocciola rosato in superficie e grigio pastello in frattura, cosparsa di mica puntiforme incolore; vernice rossa.

Ansa a sezione piatta impostata su spalla obliqua; ciascuna estremità è decorata con una fascia dipinta che «avvolge» l'attacco e dalla quale partono due linee convergenti che disegnano dei triangoli sulla costa dell'ansa.

ansa: sez.: $4,2 \times 1,9$

L'argilla, molto vicina a quella del frammento SG 174, indica una molto probabile produzione samia.

SG 193

Frammento di ansa.

Argilla arancio pallido con nucleo grigio chiarissimo e scialbatura nocciola chiaro, smagrita con minutissimi granelli neri e contenente mica puntiforme; l'impasto si presenta molto fine, tenero, con frattura netta e morbida.

Ansa curva a sezione ovale.

sez.: 4×2

L'argilla è vicinissima a quella dell'ansa SG 183, attribuita a fabbrica samia, oltre che a frammenti riuniti sotto la denominazione più generica di «anfore greco-orientali»: cfr. per esempio, SG 185 e 189.

SG 194

Frammento di ansa con attacco inferiore, con incisione alla base.

Fine argilla bruna con nucleo grigio-camoscio e scialbatura crema rosata conservata in parte, contenente pochi inclusi nero-azzurri e color porpora, minuscoli granellini bianchi e abbondante mica puntiforme incolore.

Ansa a sezione lenticolare impostata verticalmente su spalla fortemente obliqua.

Sulla parte inferiore della costa dell'ansa si trova il nesso K_E graffito, probabilmente, sull'argilla non cotta ma già ben indurita: infatti, i tratti hanno uguale spessore e profondità, mentre le punte tendono a storcere.

sez.: $4 \times 1,9$

L'argilla è identica a quella del frammento SG 185 e i due pezzi potrebbero appartenere allo stesso vaso.

SG 195

Ansa con entrambi gli attacchi.

Argilla molto fine color nocciola con scialbatura crema, smagrita con poca finissima sabbia bianca, contenente mica incolore puntiforme.

Ansa a gomito con sezione irregolarmente circolare, impostata fra il collo verticale e la spalla obliqua.

ansa: h: 17,5
    lungh.: 20
    $\varnothing$: 3,6

Potrebbe trattarsi, in base all'aspetto della pasta, di una produzione greco-orientale, addirittura forse samia.

SG 196

Ansa con entrambi gli attacchi.

Finissima argilla nocciola con ingubbiatura crema, smagrita con minuta sabbia bianca; in frattura il nucleo, che ha tonalità leggermente più scura della superficie, appare racchiuso fra due sottilissimi strati arancioni; contiene poca mica puntiforme.

Ansa a sezione ovale impostata fra il collo verticale e la bassa spalla obliqua; breve impressione digitale presso l'attacco inferiore.

ansa: h: 12,5
    lungh.: 16
    sez.: $4 \times 1,7$

L'argilla suggerisce di attribuire il frammento ad una fabbrica greco-orientale.

9. Le anfore da Mende

I quattro frammenti raccolti in questo capitolo sono abbastanza ben caratterizzati sia dal punto di vista degli aspetti morfologici che da quello dell'impasto da non lasciare incertezze circa la loro appartenenza ad una stessa classe, per la quale io accetto l'attribuzione di V. Grace (1), successivamente ripresa e sviluppata con maggiore documentazione da C. Jones Eiseman (2), a fabbrica di Mende.

In qualche caso, tuttavia, anfore, o, più spesso, frammenti, simili ai nostri vengono riferiti a fabbrica proto-tasia: è il caso, per esempio, di alcuni fondi da Istria (3). A proposito dei frammenti da Istria, però, Pierre Dupont (4) osserva che, se i fondi sono tipologicamente vicini a quelli di anfore rinvenute nell'area del Bosforo in livelli del V secolo iniziale e riferiti dagli archeologi russi a Taso (sulla base, per altro, solo di confronti morfologici con le serie tasie più recenti, del IV e III secolo a.C.), tuttavia, le anfore complete rivelano notevoli differenze nell'aspetto del ventre e del labbro. Come dire che gli esemplari «tasii» di Istria non provengono da Taso!

L'unico esemplare di anfora di Mende dalla terraferma campana proviene da Vico Equense (5). Caratterizzata, rispetto ai frammenti dallo Scarico Gosetti, dall'altezza più contenuta del collo e delle anse e dal fondo a breve puntale leggermente svasato verso il basso, essa si confronta bene con anfore trovate in un pozzo dell'agorà di Atene databile alla metà del V secolo (6), precedendo così il gruppo pithecusano. I nostri quattro frammenti, infatti, rientrano nel tipo Ic individuato dalla Jones Eiseman (7), datato per confronti fra la fine del V secolo e gli inizi del IV. Già la Grace, del resto, annotava: «In this series, the tendency in the second half of the fifth century is for the neck and handles to grow longer, and the handles narrower; and for the foot to grow larger and more flaring, while the diameter of the depression underneath does not increase». (8)

SG 197

Quattro frammenti non combacianti: a. parte di labbro, collo e spalla con un'ansa; b. la seconda ansa; c. e d. frammenti del labbro.

Argilla uniformemente arancio-rosa, ruvida ma ben depurata, dalla frattura netta.

Piccolo labbro svasato, con la faccia superiore piatta e la parete esterna tesa obliqua, con spigoli «morbidi», separato dal collo da una scanalatura: questa si avverte meglio nei frammenti c. e d., che erano lontani dalle anse, in corrispondenza delle quali la scanalatura stessa tende a colmarsi; collo alto e sottile a pareti concave, formante profilo continuo

(1) V. Grace in Ch. Boulter, commento al frammento nr. 161, p. 107. La Grace fornisce ulteriore bibliografia relativa al riconoscimento del tipo come di produzione di Mende.
(2) C. Jones Eiseman, pp. 13-15.
(3) *Histria II*, frr. 432-434. Il frammento di fondo 434 è sorprendentemente simile al fondo SG 200.
(4) P. Dupont, in *Amphores grecques archaïques de la Mer Noire*, bibliografia ragionata distribuita in ciclostilato a cura del Centre Jean Bérard, Napoli, 1983.
(5) Cfr. N. Di Sandro i, pp. 10-11 e fig. 3.4. Per il disegno della stessa anfora, cfr. M. Bonghi Iovino, anfora nr. 13, tav. 45.3.
(6) V. Grace in Ch. Boulter, anfore nrr. 161-163, pp. 106-108 e fig. 5; tav. 40.
(7) C. Jones Eiseman, p. 14 nrr. 4 e 5.
(8) V. Grace in Ch. Boulter, p. 107.

con la spalla; spalla bassa e probabilmente ampia; le anse piatte si impostano sul collo, sormontano leggermente il punto d'attacco e scendono sulla spalla con linea sinuosa; l'attacco inferiore di ciascuna ansa è segnato da un'impressione digitale allungata.

L'attribuzione dei quattro frammenti alla stessa anfora è sicura per l'identità della pasta, della lavorazione e degli spessori.

H: 20
Ø int., ric.: 13,6
labbro: h: 1,6
         spess.: 0,5-1
anse: largh.: 4,5

L'anfora si confronta molto bene con il tipo 1c illustrato da C. JONES EISEMAN, p. 14 nr. 4; l'archeologa discute e respinge una precedente attribuzione del tipo a fabbrica di Taso, proponendo, invece, una fabbrica di Mende. Concordo con l'identificazione della Jones Eiseman: infatti, se talvolta il fondo di esemplari tardi (cioè 2ª metà del V-inizi del IV secolo a.C.) può dar adito a incertezze, il labbro non trova certamente confronti fra quelli di anfore attribuite a Taso.

Si può legittimamente pensare che l'anfora terminasse con un fondo alto e svasato, a pareti concave in profilo continuo con il ventre, così come avviene per l'anfora dal relitto di Porticello pubblicata dalla Jones Eiseman, a cui facevamo riferimento sopra. Un fondo del genere è rappresentato da un esemplare nello stesso Scarico Gosetti (SG 200), che non sembra, però, riferibile a questa stessa anfora. Se la ricostruzione della forma è giusta, SG 197 può essere collocato nella seconda metà del V secolo o agli inizi del IV.

SG 198

Frammento di labbro e collo, con inizio dell'ansa.

Argilla ruvida rosa-arancio, senza apprezzabili variazioni di colore in frattura, smagrita con granelli bianchi di media taglia; minuscoli puntini di mica argentea sono visibili in superficie; superficie vacuolata.

Piccolo labbro svasato con la faccia superiore piatta, distinto dal collo mediante una sottile scanalatura, in parte coperta dall'argilla impiegata per fissare l'ansa; collo a pareti concave; ansa piatta impostata subito sotto il labbro, lievemente sormontante il punto d'attacco.

H: 10,5
Ø int., ric.: 12
labbro: h: 1,2
         spess.: 0,7-0,9
ansa: largh.: 5

Il frammento appartiene probabilmente ad un'anfora simile alla precedente.

SG 199

Due frammenti combacianti pertinenti al collo.

Argilla chiara, arancio-rosa, senza variazioni di colore interne, contenente poca mica argentea puntiforme, sostanzialmente ben depurata; superficie ruvida e frattura netta.

Collo a pareti concave formante profilo continuo con la spalla.

H: 14

collo: h: 10

$\emptyset$ int., ric.: 17,2

Le caratteristiche tipologiche dell'impasto, e approssimativamente anche le dimensioni, si confrontano con quelle del frammento SG 197, a cui rimando per il commento.

SG 200

Fondo.

Pesante argilla arancio vivo con nucleo nocciola, contenente pochi e minuti cristalli di quarzo e mica argentea puntiforme con scaglie più grandi di mica dorata.

Puntale alto e svasato con pareti concave, in profilo continuo con le pareti del ventre, a sezione piena con leggera depressione nella parte inferiore.

H: 25

puntale: $\emptyset$: sup.: 5,4

base: 9

Il puntale rappresenta probabilmente la parte terminale di un'anfora del tipo rappresentato dai frr. SG 197-199, anche se il colore più acceso dell'argilla apparentemente esclude la possibilità di attribuire questo frammento ad uno dei colli esaminati sopra.

Fondi esattamente confrontabili vengono dal relitto di Porticello (cfr. C. JONES EISEMAN, nr. 4), da Chios (J.K. ANDERSON, fig. 10.274 f) e da Istria (*Histria II,* nr. 434). Nei primi due casi essi vengono attribuiti a fabbrica di Mende, laddove la Dimitriu attribuisce i frammenti da Istria a fabbrica proto-tasia, per confronto con esemplari provenienti dall'area del Bosforo (cfr. J.B. ZEEST, tav. VI). Pierre Dupont, comunque, avanza dubbi sulla legittimità del confronto dei frammenti da Istria con le anfore attribuite a Taso dagli archeologi russi: «hormis une évidente parenté de pied, les formes complètes révèlent une belle diversité dans le profil de la panse et celui de l'embouchure». (9)

---

(9) Ciclostilato cit. in nota 4.

10. Le anfore da Lesbos

Alle anfore di Lesbos ha dedicato di recente un'ottima messa a punto Barbara Clinkenbeard (1), che ne ha organizzato una tipologia molto affidabile, sorretta da analisi delle argille per attivazione neutronica che confermano la sostanziale omogeneità dei gruppi da lei composti e l'esattezza dell'attribuzione a fabbriche di Lesbos della maggioranza delle anfore che esibiscono le cosiddette «caratteristiche lesbie»: impasto prevalentemente grigio intenso (ma le lesbie frazionarie sono rosse fino all'ultimo quarto del IV secolo), con variazioni dovute alla difficoltà di ottenere una cottura omogenea in un'atmosfera riducente in presenza di grossi spessori (2); collo piuttosto rigido, talvolta distinto dall'orletto e dalla spalla mediante due riseghe la cui posizione varia con il tempo, fornendo in certi casi un indice cronologico; pesanti anse a sezione circolare, con l'attacco inferiore decorato da una nervatura che prosegue sul corpo del vaso.

Le stesse analisi, però, mettono anche in guardia contro la possibile esistenza di un secondo centro fabbricante anfore morfologicamente del tutto comparabili con quelle di Lesbos, ma localizzato fuori dell'isola (3).

In Italia i ritrovamenti sembrano limitati, in epoca arcaica, a Gravisca (4) e alla Sicilia: qui la Pelagatti segnala la presenza di anfore lesbie riutilizzate per enchytrismoi nella necropoli del Rifriscolaro, Camarina, che fu utilizzata «dai primissimi anni del VI agli inizi del V secolo a.C.». (5)

In un quadro di generale assenza, come è quello fornito dalla Magna Grecia, i tre frammenti dallo Scarico Gosetti non possono essere privi di significato, anche se non conosciamo l'abitato abbastanza per poter accogliere con sicurezza o l'ipotesi di rapporti commerciali fra Pithecusa e Lesbos, o quella — più plausibile allo stato attuale della documentazione — di una presenza mediata da un terzo ambiente, non legata ad un commercio diretto col centro di produzione o con i suoi intermediari sui mercati occidentali. Anche in questo secondo, caso, tuttavia, permarrebbero perplessità, dato che la presenza di anfore lesbie a Ischia sembra precedere almeno di un quarto di secolo la comparsa della classe a Camarina (6). Piuttosto, se la tabella delle presenza non sarà modificata da nuove esplorazioni, si dovrà pensare che le nostre tre anfore lesbie siano giunte a Pithecusa insieme con mercanzie di altra origine, raccolte da una stessa nave in diversi punti della propria rotta, o che esse fossero destinate ad un acquirente predestinato anziché alla vendita indifferenziata: i due frammenti meglio caratterizzati sono, infatti, contemporanei: un dato, questo, a sostegno di entrambe le possibilità.

---

(1) B. CLINKENBEARD, articolo citato in bibliografia.
(2) Più precisa la descrizione dell'argilla ad opera di P. DUPONT, p. 201: «Par 'amphores de Lesbos' on entend généralement des séries de récipients à pâte grise (quoique fréquemment réoxydée en surface), très chargée en gros dégraissant (mica notamment), etc.». Lo sgrassante di grossa taglia si ritrova anch'esso nei frammenti dallo Scarico Gosetti.
(3) B. CLINKENBEARD, p. 264.
(4) M. SLASKA 2, p. 354. La presenza di anfore lesbie a Gravisca è ignorata nell'elenco in B. CLINKENBEARD, p. 249 nota 3, che invece riferisce di anfore dalla Sicilia.
(5) P. PELAGATTI, p. 572.
(6) Le nostre anfore SG 201 e 202, infatti, si datano bene al 3° quarto del VII secolo. Non conosco, invece, la cronologia delle anfore lesbie da Gravisca poiché M. SLASKA 2, p. 354, non fornisce sulla classe informazioni di natura quantitativa o cronologica.

Certo è che anfore lesbie sono finora del tutto assenti dalla necropoli di San Montano; questo potrebbe essere significativo almeno di una certa difficoltà nel reperimento del pregiatissimo vino di Lesbos (7) a Pithecusa, considerato che nel terzo quarto del VII secolo, quando si datano i frammenti SG 201 e 202, vige ancora l'uso di seppellire gli infanti della comunità ad enchytrismos, sia pure con una riduzione nella frequenza di impiego di anfore importate rispetto a quelle prodotte in loco (8).

L'osservazione dell'impasto e quella degli spessori esclude che i tre frammenti possano appartenere alla stessa anfora oppure a due anfore solamente.

SG 201

Due frammenti combacianti: a. frammento dell'orlo e del collo, con una frazione della spalla; b. parte inferiore di un'ansa con l'attacco sulla spalla.

Argilla a grana compatta, leggermente micacea e contenente poca sabbia bianca, grigio-camoscio in superficie, più nettamente grigia in frattura. Nell'ansa, fra il nucleo e la superficie, si è formata per effetto di cottura una corona circolare brunastra; molto più sottile, questo strato di diverso colore compare anche nelle fratture del frammento a.

Piccolo labbro svasato, con la faccia interna tesa, orientata verso l'alto e verso l'esterno, e passaggio morbido alla faccia esterna tondeggiante; l'orletto continua sul collo in un sottilissimo listello alto cm. 2,6 che determina una lievissima risega sul collo stesso ad un quarto della sua altezza; il collo è cilindrico nettamente distinto dalla spalla, separato da questa anche da una lieve scanalatura; su questo frammento di spalla attacca l'ansa a sezione circolare, caratterizzata dalla nervatura di argilla — il *rattail,* elemento distintivo della classe lesbia — che, dagli ultimi centimetri dell'ansa stessa, viene tirata fin sulla spalla.

H: ca 18,5
labbro: spess.: 1,2
ℬ (ric): int.: 11; est.: 13,8
collo: h: 12,5
        $\varnothing$: 10 (ric.)
ansa: $\varnothing$: 3,3

Il frammento mostra le caratteristiche tipiche delle anfore di Lesbos: l'argilla prevalentemente grigia con zone centrali ossidate, la lieve risega sul collo, l'ansa grossa a sezione circolare con il codolo di argilla al raccordo fra l'attacco inferiore dell'ansa e la spalla del vaso. Le caratteristiche del collo permettono di datare il frammento in modo preciso attraverso un confronto bibliografico: il collo più basso che nella maggior parte degli esemplari pubblicati situa il frammento all'inizio dell'evoluzione della classe, e la datazione alta è ribadita dal fatto che la risega segna lievemente il collo ad un quarto della sua altezza: ciò avviene solo nel VII secolo; in seguito la risega compare sempre al passaggio dal labbro al collo (cfr. B. CLINKENBEARD, p. 250). Il confronto con l'esemplare nr. 1 pubblicato in catalogo dalla Clinkenbeard (p. 264 e tavv. 70 e 71), datato al 3° q. del VII secolo, è agile e preciso.

---

(7) B. CLINKENBEARD, pp. 254-256, raccoglie le fonti letterarie che esaltano i pregi del vino di Lesbos.
(8) G. BUCHNER 6.

SG 202

Frammento di ansa con una frazione del labbro.

Per effetto di cottura, l'argilla presenta le seguenti caratteristiche di colore: superficie grigio scurissimo, nucleo grigio chiaro circondato da una corona circolare rosso mattone, a sua volta racchiusa in una fascia marrone. Molto pesante e dall'aspetto «spugnoso», l'impasto è smagrito con pochi granelli bianchi e con granellini rosso mattone.

Labbro piccolo, leggermente ricurvo all'indietro; l'ansa a sezione circolare impostata poco sotto il labbro scende verticalmente sulla spalla.

$\emptyset$: non ricostruibile

ansa: $\emptyset$: 3,3

La tipologia del labbro e l'impostazione dell'ansa rispetto al labbro stesso permettono un confronto con l'esemplare nr. 1 della Clinkenbeard, come per il frammento precedente. Infatti, «The position of the top handle attachments in relation to the rim also seems to vary from period to period. Starting well below the plain lip of *1*, the top handle attachments can be seen to encroach more and more on what develops first into a rolled, flat rim, then becomes a slightly flaring half-roll rim». (cfr. B. CLINKENBEARD, p. 251 s.).

Di nuovo, dunque, siamo nel 3° quarto del VII secolo a.C.

SG 203

Frammento di parete.

Per effetto di cottura, la superficie esterna e il nucleo sono di un grigio scurissimo, la superficie interna è bruno rossiccia, e due strati rosso vivo si interpongono fra le superfici e il nucleo; la pasta è smagrita con finissimi granelli bianchi e alcuni inclusi propora.

Frammento di spessa parete tesa, non collocabile esattamente nell'anfora.

7,8 × 8,7

$\emptyset$ ric., parte centrale: 29,2

Il frammento è abbastanza ben caratterizzato dall'argilla per poter essere inserito nella classe delle anfore di Lesbos anche in assenza di specifici tratti morfologici. Esso non sembra pertinente alle anfore rappresentate dai frammenti SG 201 e 202.

PARTE SECONDA

LE ANFORE «FENICIE» E ORIENTALI NON GRECHE, QUELLE LOCALI E LE ETRUSCHE

Distinguere fra anfore greche e anfore orientali di ambito non greco non è, di solito, particolarmente difficile, variando considerevolmente tanto gli impasti più frequentemente impiegati quanto la sintassi formale.

Nelle anfore greche la pasta, per quanto mal depurata possa essere, non è mai molto ruvida al tatto se la superficie non è troppo abrasa. Al contrario, gli impasti di area fenicia in senso lato mostrano pressoché costantemente una notevole ruvidezza al tatto; inoltre, la maggior parte degli impasti più propriamente fenici rivela un'assenza praticamente totale di mica, laddove questa è quasi sempre rintracciabile, sia pure in quantità minime, negli impasti delle anfore greche.

La sintassi formale delle più diffuse anfore orientali arcaiche differisce anch'essa da quella delle anfore prodotte nel mondo greco d'Occidente o d'Asia: il collo è sistematicamente assente e il contenitore è meno articolato, più tozzo e compatto; le anse sono sempre impostate sul ventre o sulla spalla, o fra le due parti, spesso molto piccole in rapporto al peso e alle dimensioni del vaso; generalmente sono ad anello o a maniglia. Il fondo non è mai distinto dal corpo ed è generalmente tondeggiante o lievemente appuntito; in ogni caso, nasce spontaneamente dalla linea tondeggiante allungata del ventre.

Distinzioni più sottili all'interno delle anfore di concezione orientale sono invece spesso impossibili: io ho separato quanto mi sembra attribuibile ad area genericamente fenicia (le anfore carenate) da quanto rimane ancora, purtroppo, solo vagamente «orientale». Del resto, anche il termine «fenicio» non è poi tanto specifico, poiché restano da individuare, all'interno dell'area che esso designa, i reali centri di produzione. Il problema non riguarda solo il materiale di Pithecusa, che è sostanzialmente omogeneo, ma il complesso delle anfore a spalla emisferica distinta (oltre che altre classi ceramiche!): pur nella sostanziale uniformità del repertorio formale, infatti, le differenze fra le paste dimostrano l'esistenza di svariate fabbriche «fenicie», nessuna delle quali riconosciuta. Analogo problema si pone per le anfore a ogiva, la cui diffusione, per altro, è soprattutto occidentale. Credo che individuare ciascuna fabbrica, definirla nei suoi caratteri tecnici, localizzarla nello spazio e nel tempo, non siano operazioni possibili oggi: più ancora che per le anfore greche, manca una raccolta complessiva e sistematica dei contenitori orientali, se si prescinde dall'atlante delle forme ceramiche di Cartagine (1), che, nella schematicità della sua concezione, non può offrire che qualche indicazione di generica utilità. Mancano, si diceva, non solo analisi di laboratorio (ma quelle mancano anche all'archeologo italiano!), ma anche semplici descrizioni della pasta per la maggior parte degli esemplari — pochi! — pubblicati con illustrazione grafica o fotografica. Come osserva Culican, «there has been too much

---

(1) P. Cintas I.

comparison of shapes, too little of fabric» (2). Ancora più spesso, però, l'anfora non è descritta neppure nei suoi caratteri morfologici, annotàndosene solo la presenza in un contesto magari per altro riccamente illustrato.

In siffatte condizioni di non-documentazione, uscire dalla genericità insita nei termini «fenicio» o «orientale» è impossibile.

In questa sezione, tre capitoli sono dedicati alle anfore di tipologia non greca.

Il primo e il più cospicuo riguarda le anfore a spalla carenata (SG 212-231), che indico con l'aggettivo «fenicie».

Il secondo capitolo raccoglie le anfore orientali a ogiva, delle quali sono incerti tanto il prototipo quanto il centro di produzione. Numericamente meno importanti delle anfore carenate, esse occupano tuttavia un posto a sé nella storia del sito di Pithecusa per essere state il modello diretto delle più antiche anfore di produzione locale: come spesso ricordato dal dr. Buchner (3), la sola vera distinzione tipologica fra queste anfore importate e le locali di tipo A è nel fondo, e in mancanza di questo elemento l'attribuzione ad una delle due classi è sempre problematica (4).

Nel terzo capitolo sono riunite le schede di tre frammenti pertinenti ad anfore di tipologia orientale ma delle quali non sono determinabili i particolari formali, date le caratteristiche dei frammenti stessi.

Alle anfore orientali sono state accostate in questa sezione le anfore di produzione locale arcaiche e alcuni frammenti di anfore etrusche. In effetti, le anfore locali nei due tipi A e B sembrano rappresentare il *trait d'union* fra le anfore a ogiva e le più antiche anfore etrusche, quelle che, non per caso, presentano lo stesso fondo piano che distingue le anfore pithecusane da quelle importate, situandosi, però, in un ambito cronologico generalmente più tardo di un secolo. I tre frammenti di anfore etrusche dallo Scarico Gosetti, comunque, sembrano collocarsi in un momento non iniziale della produzione della classe.

---

(2) Intervento di Culican nella discussione sulla relazione di Giorgio Buchner in occasione del Simposio «Die phönizische Expansion im Westlichen Mittelmeerraum», in G. BUCHNER 5, p. 303.
(3) Cfr.: G. BUCHNER 4, p. 268; G. BUCHNER 5, pp. 286-287; G. BUCHNER 6.
(4) Cfr. *infra,* introduzione al capitolo 12.

11. Le anfore «fenicie» a spalla emisferica distinta

Le anfore di tipo fenicio con spalla emisferica formante angolo col ventre, finora rappresentate da soli cinque esemplari (di cui due non conservati) nella necropoli (1), sono invece piuttosto numerose nello Scarico Gosetti, dove ho individuato frammenti pertinenti ad almeno 19 anfore distinte. Gli impasti, sempre molto omogenei e ben cotti, si confrontano abbastanza bene perché si pensi ad un unico centro produttore per l'intera classe, ivi comprese le anfore conservate da San Montano. Purtroppo, la vasta diffusione del tipo rende problematico individuarne la fabbrica, che si colloca sicuramente all'interno dell'area genericamente indicata come siro-palestinese.

Conosciute anche come anfore fenicio-cipriote (2) o cipro-fenicie (3) perché presenti nell'isola in strati del Cypro-Archaic I e II (4), queste anfore carenate sono in realtà presenti in un'area molto vasta, che abbraccia il vicino Oriente come le colonie fenicie in Occidente.

L'origine è probabilmente da rintracciarsi nelle anfore canaanee (5). Un buon confronto fra i più antichi per i nostri esemplari è con un'anfora pubblicata da Avshalom Zemer (6), il quale annota la presenza del tipo a Megiddo, Lachish, Hazor, Tell-en Nasbeh, Tell Abu-Hawam, Samaria e Ein-Shems, e lo attribuisce al X-VIII sec. a. C., «but it continues to be found with slight changes in the 7th-5th centuries B.C.» (7). Le «lievi modifiche» riguardano più che altro l'accentuazione della strozzatura delle pareti del ventre subito sotto la carena. Ruth Amiran rileva che «the sausage-shaped jar with pronounced shoulder is a new form which makes its appearance in Iron II A-B (corrispondente ai secoli X-IX) and is destined to reach the height of its popularity in Iron II C», e segnala una tendenza all'allungamento del ventre e ad un'accentuazione della strozzatura (8).

Nelle anfore intere delle tombe 614, 441 e 513 della necropoli di San Montano, la strozzatura sotto la carena è appena accennata, particolare che già di per sé suggerisce di inserirle in un momento abbastanza antico dell'evoluzione della serie. Con maggior precisione vengono datate dal contesto, che attribuisce al LG I l'anfora della T. 614 — che differisce dalle altre perché ha il corpo quasi interamente solcato da costolature orizzontali — e al LG II le altre due. Questa attribuzione alla seconda metà dell'VIII sec. viene adottata, con riserva, anche per il complesso dei frammenti dallo Scarico. Infatti, se è vero che le anfore dalla necropoli rappresentano il confronto più immediato per quelle frammentarie dallo Scarico Gosetti, bisogna anche precisare che, tra i frammenti che permettono di ricostruire

---

(1) Le anfore conservate provengono dalle tombe 614 (datata al LG I), e 441 e 513 (entrambe riferibili al LG II e sono state pubblicate in G. BUCHNER 5, p. 281 fig. 4. Nessun frammento dallo Scarico Gosetti presenta il ventre percorso da costolature orizzontali come l'anfora dalla T. 614.
(2) A. JODIN, p. 123: «Céramique phénico-chypriote à parois mates».
(3) R.J. BRAIDWOOD, p. 192: «In Palestine this ware is included in the term Cypro-Phoenician».
(4) Si sfogli V. KARAGHEORGHIS, vol.II: si veda, per es., l'anfora dalla T. 7.2.
(5) V. Grace, *The Canaanite Jar*, in S.S. Weinberg (ed.), *The Aegean and the Near East, Studies Presented to Hetty Goldman*, Locust Valley, 1956. Personalmente, non conosco questo studio che attraverso i riferimenti ad esso fatti da altri autori: per. es., A. JODIN, p. 129 s. e nota 197.
(6) A. ZEMER, p. 14 nr. 8, e note 18-25.
(7) A. ZEMER, p. 14 nr. 8
(8) R. AMIRAN, p. 238 e tav. 79.2

l'aspetto dell'anfora, solo uno, SG 221, proviene da un vaso certamente identico a quelli da San Montano. Tutti gli altri riportano ad anfore con la spalla più alta e stretta ($\emptyset$ ca 20 cm contro ca 30), talora con la carena assai poco pronunciata. Due di queste, SG 214 e 227, hanno la strozzatura sotto la carena più accentuata, laddove le rimanenti hanno un ventre a sacco simile a quello delle anfore dalla necropoli.

L'altezza non può essere definita. Solo nel caso di SG 214 si può valutare approssimativamente che essa superi i 65 cm.

La capacità di queste anfore caratterizzate dalla spalla (e presumibilmente anche dal ventre) più alta e stretta potrebbe comunque non differire rispetto a quella della variante a spalla bassa e larga.

Se e quanto le variazioni riscontrate incidano nella cronologia delle anfore dallo Scarico Gosetti sarebbe arbitrario valutare. Comunque, i drr. A.M. Bisi e P. Bartoloni ritengono che le misure non abbiano significato né areale né cronologico (8 bis).

La cronologia ricavata da confronti interni al sito di Pithecusa trova riscontro a Tell'Arqu, nel Libano settentrionale (9): qui la tomba 1 ha restituito un'anfora in tutto simile alle nostre (direi anzi, che questo è il confronto migliore per le anfore da San Montano) attribuita su basi tipologiche al IX-VIII sec., ma il cui excursus cronologico è poi ristretto all'VIII secolo dal corredo, che rientra nell'età del Ferro II (10).

R.J. Braidwood segnala la presenza di anfore a spalla emisferica distinta fra le produzioni ceramiche, collegate fra loro ma caratterizzate da varianti locali, di centri situati fra la Palestina meridionale e la Siria settentrionale nel corso del Syro-Phoenician Iron Age (11).

L'anfora a spalla emisferica distinta appare dunque ben rappresentata in area sirofenicia e palestinese. Purtroppo, come si accennava, non siamo in grado di determinare con sicurezza il o i centri di produzione per gli esemplari pithecusani. I drr. Anna Maria Bisi e Piero Bartoloni condividono la certezza che essi provengano dalla Palestina (11 bis). Prausnitz, al contrario, a proposito degli esemplari dalla necropoli di San Montano, rileva che «the size of the vessels discussed does not look like coming from the area of Israel/Palestine» (12). Infine, come risultato della discussione sulla relazione da lui tenuta al simposio sull'espansione fenicia nel Mediterraneo Occidentale, Giorgio Buchner osserva che solo nella Fenicia propria si trova ceramica red slip del tipo importato a Ischia durante la seconda metà dell'VIII secolo, e aggiunge: «Was die Handelsamphoren anlangt, habe ich den Eindruck bekommen, daß unsere Kenntnisse heute noch nicht ausreichen, um die Herkunftsfrage zu entscheiden. Immerhin dürfte es aber doch warscheinlich sein, daß wenigstens ein Teil derselben aus dem gleichen Gebiet stammt, wie die Red Slip Ware» (13).

(8 bis) Cfr. nota 11 bis, *infra*.
(9) J.P. THALMANN, p. 86, fig. 3: T. 1.21.
(10) In Siria e in Palestina l'Età del Ferro II inizia nell'VIII secolo a.C.
(11) R.J. BRAIDWOOD, p. 192 e fig. 5.
(11 bis) Comunicazioni personali in occasione del convegno «Momenti precoloniali nel Mediterraneo Antico», Roma, 14-16 marzo 1985. Ringrazio i drr. Bisi e Bartoloni per la gentilezza con cui hanno voluto esaminare e discutere con me i disegni delle anfore a spalla carenata da San Montano, fornendomi nel contempo ulteriore bibliografia.
(12) Intervento di Prausnitz nella discussione seguita alla relazione di Buchner, in G. BUCHNER 5, p. 299. Le anfore a cui si riferisce Prausnitz sono in effetti più basse di quelle della necropoli di San Montano, anche se resta difficile valutare l'incidenza di questo dato nell'attribuzione della classe.
(13) G. BUCHNER 5, p. 306. Che il red slip importato a Pithecusa provenga tutto dallo homeland fenicio è ribadito in G. BUCHNER 4, p. 268 nota 9.

Il tipo è attestato anche nelle colonie fenicie di Occidente. A. Jodin segnala rinvenimenti in Marocco (Mogador, Lixus, Tahadart), nei siti fenici della Spagna meridionale e in Francia, lungo le coste della Provenza e della Linguadoca (14). In Italia, al di fuori di Pithecusa, conosco una sola anfora a spalla emisferica: alquanto più tarda delle nostre, proviene da Mozia (15). La concentrazione maggiore si riscontra comunque nel cosiddetto «Círculo del Estrecho», cioè nelle colonie fenicie che si affacciano sulle due sponde dello Stretto di Gibilterra. È certamente significativa l'associazione, in questa area, delle anfore a spalla carenata con le c.d. «fruttiere», vasi tipicamente, esclusivamente palestinesi (15 bis).

Una caratteristica tipologica che accomuna quasi tutte le nostre anfore del gruppo a spalla carenata e che non è immediatamente rilevabile dai disegni, è la presenza di una profonda impressione digitale lungo la parete interna, in corrispondenza di ciascun attacco delle anse, un particolare questo che è chiaramente legato alla tecnica di lavorazione.

Le anse stesse sono tutte ad anello con impostazione verticale e sezione circolare. Per ciascuna si fornisce la distanza fra gli attacchi, corrispondente al diametro del cerchio in cui si inscrive, oltre alla sezione.

Come si accennava sopra, la pasta non differisce molto da un esemplare all'altro, ed è facile da riconoscere, Essa si differenzia dalla molteplicità degli impasti greci in primo luogo per la cottura uniforme e viva; in secondo luogo per la chiara scansione della parete in tre zone di colore, corrispondenti alla scialbatura esterna, al nucleo e alla parete interna: quest'ultima si presenta spesso bruno-violacea, mentre la tonalità di base dell'argilla oscilla nei toni dell'arancio e del rosso e la scialbatura, quando esiste, è bianco-giallastra o nocciola rosato. Ruvidezza delle superfici e una certa «opacità» dell'impasto si riscontrano regolarmente nella classe.

È ignoto cosa esattamente queste anfore «fenicie» contenessero, e persino se fossero adibite al trasporto di un prodotto standard o se fossero utilizzate indistintamente per diversi prodotti. Sulla parete interna del frammento SG 220 è incrostato un grumo di una sostanza giallastra che sarebbe interessante far analizzare. A Corinto anfore di forma confrontabile ma più recenti, dal Punic Amphora Building, erano associate con resti di tonno, così come a Mozia e in Spagna (16). Inoltre, impressioni contrastanti hanno espresso sull'argomento Niemeyer e Prausnitz: l'uno accoglie e l'altro respinge la possibilità che queste anfore potessero essere adibite al trasporto di liquidi (17).

SG 212

Due frammenti non combacianti: a. frammento di labbro e spalla; b. frammento di spalla e ventre, con un'ansa.

Argilla granulosa bruno-arancio, con frattura bruna e scialbatura arancio chiaro, smagrita con granelli prevalentemente neri; poca mica incolore puntiforme.

---

(14) A. Jodin, pp. 122-123.
(15) A. Ciasca 2, p. 213, T. 170. La signora Ciasca data l'anfora alla metà circa del VII secolo per confronto bibliografico.
(15 bis) Anche questa informazione devo alla cortesia di Anna Maria Bisi e Piero Bartoloni.
(16) Ch.K. Williams II, pp. 19-20. Cfr. anche l'intervento di Shefton in G. Buchner 5, p. 300.
(17) Interventi di Niemeyer e di Prausnitz in G. Buchner 5, p. 301.

Labbro verticale con profilo interno arrotondato; alta spalla a pareti convesse formante angolo col ventre a sacco; ansa ad anello a sezione circolare, impostata verticalmente fra lo spigolo e il ventre; un'impressione digitale segna sulla parete interna ciascun attacco dell'ansa.

H fr.b.: ca. 19
Ƅ int., ric.: 12,2
labbro: h: 2,7
       spess.: 1,9
ansa: $\varnothing$: 3,3
       distanza fra gli attacchi: 10,3

I due frammenti sono attribuiti alla stessa anfora in base all'assoluta identità della pasta.

SG 213

Frammento di spalla e ventre con un'ansa.

Argilla arancio chiaro, fine e compatta ma molto ruvida, smagrita con finissima sabbia prevalentemente scura, contenente qualche incluso bianco di grossa taglia e pochi cristalli di quarzo.

Spalla alta e stretta a pareti convesse, formante angolo con il ventre; ventre a sacco con una lievissima strozzatura subito sotto lo spigolo creato all'attacco con la spalla; ansa ad anello a sezione circolare, impostata fra lo spigolo e il ventre; due profonde impressioni digitali segnano la parete interna in corrispondenza con gli attacchi dell'ansa.

H: 17,3
$\varnothing$ spalla: 19
ansa: $\varnothing$: 3
       distanza fra gli attacchi: 12.

SG 214

8 frammenti, in parte combacianti: 6 frammenti permettono di ricostruire, con una piccola lacuna, labbro, spalla e parte superiore del ventre; due frammenti appartengono alla parte inferiore del ventre.

Argilla nocciola con superficie interna nocciola rosato e con scialbatura giallo-crema; impasto fine ma ruvido, a tessitura compatta con frattura dura e netta, smagrito con granelli bianchi e contenente inclusi ferrosi rosso scuro e qualcuno bianco, calcareo, con pochi cristalli di quarzo.

Labbro verticale con parete interna arrotondata, impostato su spalla convessa alta e stretta, formante angolo col ventre; ventre a sacco; fondo arrotondato non distinto dal ventre; ansa ad anello a sezione circolare, impostata fra lo spigolo spalla-ventre e il ventre; la parete interna è segnata da una profonda impressione digitale in corrispondenza con ciascun attacco.

H parte sup.: 32,5
Ƅ: 12,5
labbro: h: 2,7
       spess.: 1,9
$\varnothing$ spalla: 21,5
ansa: $\varnothing$: 3,1
       distanza fra gli attacchi: 11,5.

SG 215

5 frammenti combacianti pertinenti a parte della spalla e del ventre, con un'ansa.

Argilla bruno-violacea con scialbatura arancio rosato, smagrita con fine sabbia scura e bianca, contenente qualche incluso rossiccio e qualche cristallo di quarzo.

Spalla fortemente obliqua, alta e stretta, con pareti leggermente convesse, formante angolo con il ventre; ventre a sacco; ansa ad anello rialzato con sezione circolare, impostata sullo spigolo e sul ventre.

H: 25

$\varnothing$ spalla, ric.: 21,6

ansa: $\varnothing$: 2,9

       distanza fra gli attacchi: 10.

SG 216

2 frammenti non combacianti relativi a parte del labbro, della spalla e del ventre.

Argilla arancio pastello, morbida ma secca, smagrita con granelli bianchi e celesti (cristalli di quarzo?) di taglia medio-piccola, contenente pochi granelli neri e color ambra e inclusi ferrosi rosso scuro e di quarzo bianco.

Labbro verticale con faccia esterna leggermente convessa e orlo interno smussato; spalla obliqua alta e stretta a pareti leggermente convesse, formante angolo col ventre a sacco.

H (fr. maggiore): 17,5

$\cancel{b}$ int., ric.: 14,8

labbro: h: 2,1

      spess.: 2,2

      spalla: h: 8

        $\varnothing$ ric.: 19,4

Come per SG 212 e 214, anche in questo caso i frammenti non combacianti sono stati attribuiti allo stesso vaso in base all'assoluta identità della pasta. Il procedimento è reso più sicuro nel caso di anfore fenicie, rispetto a quelle greche, dalla omogeneità degli spessori e della cottura riscontrabile fra le varie parti di ciascun esemplare.

SG 217

3 frammenti combacianti, pertinenti a labbro, spalla e ventre con un'ansa.

Argilla arancio chiaro smagrita con fini granelli bianchi; scialbatura nocciola.

Labbro ingrossato a cordone; spalla alta e stretta fortemente convessa, distinta dal ventre solo mediante uno spigolo lievissimo; ansa ad anello a sezione circolare impostata fra lo spigolo e il ventre.

H: ca 18

$\cancel{b}$: est.: 13

  int.: 12,2

labbro: h: 1,7

spess.: 2,2

$\varnothing$ spalla: 18,4

ansa: $\varnothing$: 3,1

distanza fra gli attacchi: 11,5.

SG 218

8 frammenti in parte combacianti, relativi a parte della spalla e del ventre, con i punti di attacco di un'ansa.

Argilla bruno-violacea con sfumatura arancio in frattura, smagrita con poca sabbia nera a granelli piccoli, contenente qualche incluso giallastro e rossiccio di grossa taglia e poca mica incolore puntiforme.

Labbro verticale con parete interna convessa, distinto dalla spalla da una lieve risega; spalla alta e stretta a pareti convesse, formante uno spigolo accentuato all'attacco sul ventre; ventre a sacco con lieve strozzatura subito sotto lo spigolo; ansa ad anello a sezione circolare, impostata fra lo spigolo e il ventre.

H: 19,5

labbro: h: 2,5

spess.: 1,8

$\varnothing$ spalla: 21,5 ca

ansa: $\varnothing$: 2,7.

SG 219

Frammento di labbro, spalla e ventre.

Argilla arancio-rossastra con superficie esterna arancio crema, smagrita con fini granelli, contenente qualche incluso rosso scuro.

Labbro verticale con faccia interna arrotondata, esternamente non distinto dalla spalla, salvo per due lievi scanalature; spalla obliqua alta e stretta a pareti convesse, formante spigolo con il ventre; ventre a sacco.

H: 14

$\varnothing$ int., ric.: 12

labbro: h: 2,3

spess.: 1,9

spalla: h: 6,8

$\varnothing$ ric.: 19,4.

SG 220

5 frammenti, in parte combacianti: a. due frammenti combacianti relativi a labbro e spalla; b. ansa con attacchi, in due frammenti; c. un frammento di parete.

Argilla biancastra con leggera sfumatura arancio in frattura, smagrita con finissimo quarzo bianco; impasto fine e compatto, dalla frattura netta; superfici ruvide. Sulla parete interna, in corrispondenza della parte alta della spalla, è incrostato un grumo di una sostanza di colore fra ambra e giallastro.

Labbro a cordoncino con la faccia interna più spiccatamente semicircolare; spalla alta e stretta a pareti convesse. Ansa ad anello con sezione circolare; una impressione digitale profonda e rotonda segna la parete interna in corrispondenza di ciascun attacco. Il quinto frammento appartiene ad una parete più spessa.

Ⴆ: 13
labbro: h: 2,2
       spess.: 2,2
∅ spalla, ric.: 19,6
ansa: ∅: 2,6
       distanza fra gli attacchi: 10,5

I frammenti sono stati attribuiti alla stessa anfora per l'assoluta identità della pasta.

SG 221

Due frammenti combacianti pertinenti a parte del labbro e della spalla.

Argilla rosa-arancio con nucleo grigio e scialbatura nocciola, smagrita con granelli prevalentemente neri; mica puntiforme incolore.

Piccolo labbro verticale con la parete interna arrotondata, impostato su spalla bassa e convessa, probabilmente emisferica.

Ⴆ int., ric.: 10,6
labbro: h: 1,8
       spess.: 0,9

Il frammento è identico per tipologia e per dimensioni alle parti corrispondenti dell'anfora fenicia dalla tomba 441 della necropoli di San Montano (LG II).

SG 222

Frammento di labbro e spalla.

Argilla rosata con superficie esterna giallastra, smagrita con poca fine sabbia chiara, contenente qualche incluso rossastro.

Labbro verticale con faccia esterna leggermente bombata e profilo interno più spiccatamente convesso: spalla convessa.

Ⴆ int., ric.: 10,8
labbro: h: 2,2
       spess.: 1,8.

SG 223

Frammento di labbro con frazione della spalla.

Argilla arancio chiarissimo con scialbatura biancastra; granulosa, è smagrita con sabbia nera e contiene inclusi rosso scuro di taglia medio-grande e pochi cristalli di quarzo.

Labbro leggermente rastremato verso l'orlo con profilo interno bombato; spalla convessa.

Ⴆ: 11,6
labbro: h: 2,4
       spess.: 1,9.

SG 224

Frammento di labbro, con una frazione del collo.

Argilla arancio chiaro con superfici giallo rosato, granulosa, smagrita con granelli bianchi e color ambra di taglia media.

Alto labbro obliquo leggermente bombato; spalla convessa in continuità con la linea del labbro.

Ø int., ric.: 11 ÷ 12

labbro: h: 3,7

spess.: 2,1.

SG 227

Frammento di ventre e spalla.

Argilla rossa con superficie esterna nocciola, smagrita con fini granelli neri.

Spalla obliqua alta e stretta, formante uno spigolo acuto all'attacco sul ventre, dovuto all'inclinazione speculare delle due pareti.

H: 12

Ø spalla, ric.: 20.

SG 228

Cinque frammenti non combacianti pertinenti al fondo di un'anfora.

Argilla nocciola con scialbatura biancastra, smagrita con fine sabbia chiara e contenente inclusi rosso scuro; tessitura fine e compatta e lavorazione accurata, superfici ruvide.

I frammenti, pur non combaciando, consentono di identificare un fondo arrotondato non distinto dalle pareti del ventre.

Dimensioni complessive non rilevabili.

Ancora una volta, i frammenti sono realizzati in una stessa pasta che non trova altri confronti nello Scarico Gosetti. Per la ricostruzione del tipo si vedano gli esemplari fenici della necropoli, tombe 441 e 513, e si ammetta la possibilità di un diverso aspetto del labbro.

SG 229

Ansa con attacchi e una frazione della parete intorno all'attacco superiore.

Argilla arancio chiaro con nucleo grigio chiarissimo e ingubbiatura biancastra, smagrita con sabbia finissima.

La frazione di parete che si conserva indica che spalla e ventre si raccordavano in uno spigolo; ansa ad anello rialzato con sezione circolare, impostata fra lo spigolo e il ventre; la parete interna è segnata da una profonda impressione in corrispondenza dell'attacco superiore.

ansa: Ø: 2,8

distanza fra gli attacchi: 11,5.

SG 230

Ansa con parte della spalla.

Argilla arancio chiarissimo con ingubbiatura giallo crema, molto granulosa, smagrita con granelli bianchi.

Presso l'attacco superiore la parete conserva un accenno dello spigolo che separava nettamente la spalla dal ventre; ansa ad anello rialzato, con sezione circolare ingrossata in alto, impostata sullo spigolo spalla-ventre e sul ventre.

ansa: ∅: sup.: 3,5
        inf.: 3,1
distanza fra gli attacchi: 10,5.

SG 231

Frammento di ansa con l'attacco superiore.

Argilla arancione con ingubbiatura giallo crema; impasto fine e ruvido, smagrito con poca finissima sabbia bianca e contenente qualche incluso bianco di dimensioni medio-grandi.

Ansa ad anello a sezione circolare; l'attacco superiore è collocato sullo spigolo creato nel punto di raccordo fra spalla e ventre; la parete interna è segnata da una profonda impressione digitale in corrispondenza dell'attacco.

ansa: ∅: 2,5.

12. Le anfore orientali a ogiva.

Di provenienza persistentemente incerta ma di tipologia chiaramente orientale sono le anfore cosiddette «a ogiva». Queste, come le anfore «fenicie» a spalla emisferica distinta, sono meglio studiate attraverso gli esemplari integri dalla necropoli di San Montano, che i rispettivi contesti circoscrivono cronologicamente al periodo LG II (1).

Lo stato attuale degli studi non permette di definire l'area di produzione del tipo, «which Giorgio Buchner calls oriental imports but where there has been resistance amongst Near-Eastern specialists in accepting them as Phoenician» (2). C'è in realtà una diffusa tendenza a ricercarne il centro di diffusione lungo le coste asiatiche: illustrando alcune anfore da Mozia, A. Ciasca assegna il tipo al «repertorio fenicio originario» (3); P. Cintas e J.-J. Jully descrivono un altro esemplare da Mozia nei seguenti termini: «Amphore/jarre à épaulement et à corps ovoïde de type cananéen avec un prototype en Méditerranée Orientale qui ne peut être plus récent que le 10e s. av. J.-C., mais qui a continué à être imité ailleurs» (4). «Anfora di tipo fenicio» è ancora definita un'anfora ogivale da Milazzo che mostra, però, un profilo meno slanciato, più «pieno», degli esemplari da Pithecusa (5).

A dispetto della conclamata origine fenicia dell'anfora a ogiva, tuttavia, il confronto più immediato per il tipo è la forma 268 dell'atlante della ceramica punica di P. Cintas (6), e i ritrovamenti segnalati, che io sappia, sono tutti in ambito occidentale, che si tratti o meno di colonie fenicie. «Il tipo (Cintas 268) è assai corrente a Cartagine e arriverebbe anche alla parte occidentale della costa africana, con varianti relative soprattutto alla lunghezza del corpo e delle anse e con cronologia più bassa» (7). Anfore con ventre più regolarmente cilindrico sono segnalate a Malta (8) e a Rodi (9). In Italia la classe è attestata da numerosi ritrovamenti che appaiono concentrati in Sicilia, a Pithecusa e nel Lazio. Indicate come anfore di produzione locale, ve ne sono molte a Mozia (10), dove è presente,

---

(1) Sono state ricostruite più o meno integralmente sette anfore a ogiva riutilizzate come enchytrismoi per le sepolture 339, 342, 350, 402, 487, 489 e 523. I disegni dell'ultimo esemplare dell'elenco e dei primi tre sono pubblicati in G. Buchner 5, fig. 5, p. 282. Questi contenitori sono stati ripetutamente riproposti all'attenzione da parte del dr. Buchner perché il tipo si trasferisce nel repertorio formale della ceramica di produzione locale, dove, con una lieve modifica del fondo, dà origine all'anfora di tipo A. Si vedano, fra i più recenti, i seguenti articoli: G. Buchner 5, p. 286, con la relativa discussione, in particolare gli interventi di Buchner stesso alle pp. 301 e 302; G. Buchner 4, p. 268; G. Buchner 6.
(2) G. Buchner 5, intervento di Shefton nella discussione, p. 304 e nota 52.
(3) A. Ciasca 1, p. 130: il commento citato riguarda le anfore associate alle urne dello strato VI del tophet di Mozia, «per il quale (strato VI) si può proporre una datazione al VII secolo avanzato» *(ibidem)*. Cfr. tav. LXXIII. 7 per un'illustrazione del tipo.
(4) P. Cintas-J.-J. Jully, p. 40, tav. V. 3. L'anfora apparteneva alla tomba 8, datata agli inizi del VII secolo proprio per la presenza dell'«amphore de type cananéen de forme ovoïde comparable à deux autres exemplaires entiers provenant des anciennes fouilles (Musée de Motyé)» *(ibidem)*.
(5) L. Bernabò Brea-M. Cavalier 1, commento alla tav. LI. 6.
(6) P. Cintas 1, tipo 268: tav. XXI e p. 139 s. L'autore segnala la presenza di tre esemplari certi della classe a Cartagine e di uno a Mozia e uno a Malta, e ne fornisce la bibliografia.
(7) P. Cintas 2, vol. II, tav. XXXVIII. 25, citato in A. Ciasca 2, p. 213 tomba 171.
(8) J.G. Baldacchino-T.J. Dunbabin: fig. 3 A2: due esemplari «not later than the 6th century B.C.»; J.G. Baldacchino, fig. 6 A1: tre esemplari.
(9) Necropoli di Camiro: cfr. Jacoby in *Clara Rhodos* IV, tav. VIII, sepolture 117, 121, CCXL, citato in L. Bernabò Brea-M. Cavalier 1, p. 113.
(10) A. Ciasca 1, tav. LXXIII.7 e p. 130; A. Ciasca 2, p. 213, T. 171: P. Cintas - J.-J. Jully, p. 40, tav. V.3 (tomba 8); G. Purpura, figg. 4-9, pp. 47-50.

significativamente, anche una variante dal fondo piano (11). Gli altri esemplari siciliani si distribuiscono fra Milazzo (12), la necropoli del Borgo di Gela (13), Megara Hyblaea (14), Camarina e Siracusa (15). Infine, come si accennava, anfore a ogiva sono state portate alla luce in necropoli laziali: Osteria dell'Osa, Castel di Decima, Decima (16), Laurentina (17).

Fra gli esemplari citati nel testo e nelle note sono rilevabili variazioni che investono l'aspetto tipologico (specialmente la posizione delle anse e il profilo del ventre), le dimensioni e la pasta. Talvolta tali variazioni possono essere certamente rapportate ad una lavorazione non uniforme ad opera di diverse «mani», oppure ad uno scarto cronologico. Più spesso, però, esse indicano che la produzione del tipo era sminuzzata fra una quantità di fabbriche: è certamente questo il caso di certi gruppi di anfore che, mentre si distinguono per qualche aspetto dal resto della classe, sono invece omogenei al loro interno: così a Mozia, dove le anfore ogivali sono prodotte localmente (18), e a Milazzo (19); e così a Pithecusa: qui i vasi della necropoli e i frammenti dallo Scarico Gosetti sono accomunati dall'impasto grossolano, tendenzialmente arancione, con nucleo grigiastro e scialbatura crema, smagrito con sabbia e quarzo con l'aggiunta di altri elementi. Le anfore si differenziano tra loro, invece, per le dimensioni, che a San Montano permettono di distinguere due varianti: l'una presenta un'altezza media di 50 cm, l'altra raggiunge i 60-62 cm; differenze appena apprezzabili nel profilo del ventre accompagnano la diverse misure (20).

Non sono invece possibili osservazioni tipologiche per i frammenti dallo Scarico: quattro di quelli, infatti, sono relativi ad anse con una parte della spalla, mentre solo SG 232 conserva una parte del labbro. Vorrei anzi sottolineare la difficoltà di distinguere fra le anfore pithecusane di tipo A e le anfore importate a ogiva quando l'osservazione investe frammenti così poco significativi: come è stato già da tempo rilevato (21), la sola vera differen-

(11) V. Tusa, tomba 6, p. 41, tav. 33.2, e tomba 14, p. 48, tav. 36.1; G. Purpura, fig. 6 e p. 48.

(12) L. Bernabò Brea-M. Cavalier I, tavv. LI.6 e LII.9. Cfr. inoltre p. 113: «Le anfore senza collo, talvolta con un lieve rialzamento dell'orlo, talaltra con un risalto più accentuato, a cordone, intorno alla piccola bocca, e con due robuste anse a piccolo cordone applicate verticalmente sulla spalla ai due lati della bocca, sono molto frequenti nella necropoli di Milazzo». Anche a Milazzo, come a Mozia, esistono «esemplari a fondo convesso o addirittura ogivale, e altri, più numerosi, con piccolo fondello appiattito» (ibidem).

(13) L. Bernabò Brea-M. Cavalier I, p. 113: «alcuni (esemplari), purtroppo oggi non conservati, sono stati trovati come cinerari nella necropoli del Borgo di Gela».

(14) NSc 1954, p. 97 fig. 21, citato in L. Bernabò Brea-M. Cavalier I, p. 113. L'anfora era associata con un aryballos tardo-corinzio.

(15) Accenni in P. Pelagatti-G. Voza, p. 139; p. 146 s.; nr. 436.

(16) Gli esemplari laziali sono segnalati, con la relativa bibliografia, in M. Martelli Cristofani, p. 166 s., nota 54.

(17) Esemplari da Castel di Decima e dalla Laurentina esposti nella mostra «Le anfore da trasporto e il commercio arcaico in Etruria», Roma, Museo di Villa Giulia, sono pubblicati nel catalogo della mostra stessa.

(18) A. Ciasca 2, p. 213, T. 171: «Il vaso, per forma e per argilla, si può indicare come il più tipico della produzione moziese del periodo antico. Nella necropoli essi appaiono in un certo numero di deposizioni, con qualche appena apprezzabile variante relativa essenzialmente alla forma del corpo e all'impostazione delle anse, nonché al collegamento fra orlo a cordoncino e spalla (...)».

Tuttavia, G. Purpura, p. 48, scrive: «Ma la presenza a Mozia di queste anfore in un gran numero di esemplari dalle lievi varianti origina il dubbio, a mio avviso fondato, che si possa trattare di contenitori punici, assai somiglianti ad alcuni tipi di anfore etrusche».

(19) L. Bernabò Brea-M. Cavalier I, p. 113: «Data la costanza dei caratteri, si ha l'impressione che queste anfore rappresentino la produzione di un unico centro. Non è da escludere che questo centro di produzione possa essere stato in Grecia, come quello di tutte le rimanenti ceramiche di Milazzo».

(20) Nel gruppo di taglia minore rientrano le anfore dalle tombe 339, 402, 487 e 523; appartengono invece al secondo gruppo le anfore dalle tombe 342, 350 e 489.

(21) Cfr. supra, nota 1.

za tipologica fra le une e le altre consiste nella sostituzione di un piccolo fondo piano a quello tondeggiante delle anfore orientali. In mancanza di questo dato, l'attribuzione ad una delle due classi è sempre rischiosa: specialmente con frammenti piccoli, neppure l'argilla serve per effettuare una distinzione sicura. L'argilla locale arcaica, infatti, a differenza di quella ellenistica, non è sempre uguale a se stessa, e diverse sfumature di colore e concentrazione degli sgrassanti si osservano anche nello stesso esemplare; analogo problema esiste per le paste delle anfore importate. Pertanto, non escludo la possibilità di aver attribuito erroneamente qualche frammento ad una classe piuttosto che all'altra.

Dunque, riprendendo le fila del discorso, i confronti citati evidenziano una pluralità di centri di produzione: ciò complica il discorso sulla provenienza delle anfore ogivali importate a Pithecusa, mentre non chiara resta l'area da cui si è diffuso il modello. Personalmente non discuto che si tratti di un'anfora di tipologia orientale (assenza di collo e piede, labbro ridotto ad un orletto, scarsa articolazione delle altre parti, anse impostate ad orecchio sulla spalla) ma dubito che i frammenti dallo Scarico Gosetti e le anfore da San Montano siano stati importati da area fenicia. Infatti, l'associazione con le anfore a spalla emisferica distinta, fenicie o palestinesi che siano (22), ricorre, per quanto ne so, solo a Pithecusa, mentre mi sembra decisamente casuale la presenza dell'anfora carenata in una tomba di Mozia (23).

Come sempre, i dati cronologici più attendibili ci vengono dalla necropoli: qui le 7 anfore ogivali appartengono tutte a contesti inquadrabili nell'ultimo quarto dell'VIII secolo, cioè nel periodo caratterizzato da ceramica tardo-geometrica II. Questa rappresenta la più alta datazione di sicura attendibilità per questa classe di materiale: i tre vasi cartaginesi di tipo 268 citati in P. CINTAS I, infatti, provengono da contesti, rispettivamente, del VII, del IV e del IV-III secolo, mentre solo le due anfore a fondo piano da Mozia provengono da un gruppo di tombe attribuite alla seconda metà dell'VIII secolo (24). Nelle necropoli laziali l'anfora a ogiva si diffonde «a partire dalla fine dell'VIII secolo a.C.» (25).

Il rapporto di frequenza riscontrato nella necropoli fra le anfore fenicie carenate e queste anfore orientali ogivali si modifica profondamente con l'apporto dei dati dallo Scarico Gosetti: lo stato di equilibrio determinato dalla presenza, a San Montano, di 5 anfore carenate e 7 anfore a ogiva si altera qui in un rapporto di 4 anfore carenate per ogni anfora a ogiva.

---

(22) Cfr. *supra*, introduzione al Capitolo 11.

(23) A. CIASCA 2, p. 213, T. 170: «Forma del vaso e argilla non trovano corrispondenza nei tipi usuali a Mozia, cosicché si può decisamente pensare a bottega esterna». Non sono segnalate altre anfore a spalla emisferica distinta dal sito.

(24) V. TUSA, anfore dalla T.6, tav. 33.2, e dalla T.14, tav. 36.1, già citate in nota 11. A p. 53 l'Autore scrive: «Noi riteniamo che questo gruppo di 16 tombe costituisca la documentazione storica più antica di Mozia, databile alla seconda metà dell'VIII secolo». Subito dopo, però, aggiunge: «Alcuni dei nostri corredi sono quasi assolutamente identici ad altri da Cartagine (che Cintas situa nel VII a.C.)».

(25) M. MARTELLI CRISTOFANI, p. 166, nota 54.

SG 232

Frammento di labbro e spalla.

Argilla arancio con ingubbiatura giallo-verdina che si stacca a scaglie, smagrita con granelli di sabbia nera e bianca e di quarzo, e contenente scaglie di mica color ambra di taglia medio-grande.

Orletto arrotolato su spalla a pareti concave.

ђ int., ric.: 10,4

labbro: spess.: 1,5

      h: 1,7

Il frammento sembra pertinente ad un'anfora a ogiva, a giudicare dall'argilla; tuttavia, non si può escludere, date le dimensioni estremamente ridotte del pezzo, che esso sia pertinente ad un'anfora di produzione locale.

SG 233

Frammento di spalla con un'ansa.

Argilla arancione scuro, granulosa al tatto, smagrita con abbondante quarzo incolore e bianco.

Ansa a sezione circolare appiattita impostata su spalla convessa.

H: 14

ansa: ∅: 3

      distanza fra gli attacchi: 10,5

La forma della spalla e l'aspetto dell'ansa suggeriscono di attribuire il frammento al tipo delle anfore ad ogiva. Va rilevato, comunque, che le pareti sono molto spesse, ciò che è raro in questa classe.

SG 234

Frammento di spalla con un'ansa.

Argilla arancione con parete interna completamente annerita, frattura marrone con nucleo grigio; smagrita con abbondanti cristalli di quarzo incolore di taglia medio-piccola, e contenente qualche incluso rosso scuro di aspetto ferroso.

Ansa a sezione circolare leggermente appiattita alle estremità, impostata ad anello sulla spalla convessa.

H: 12,5

ansa: ∅: 2,6

      distanza fra gli attacchi: 10 ca.

SG 235

Frammento di spalla con un'ansa.

Argilla rosa molto annerita, con nucleo grigio, smagrita con grossi granelli neri frammisti ad altri bianchi e celesti di taglia inferiore; molta mica scura a scaglie medio-piccole.

Ansa a sezione circolare appiattita alle estremità, impostata ad anello su spalla convessa.

ansa: largh. sup.: 5,2

$\oslash$ al centro: 2,4

largh. inf.: 5

distanza fra gli attacchi: 11 ca.

Il frammento sembra pertinente ad un'anfora importata ad ogiva. Tuttavia, l'argilla è molto annerita, si direbbe per una prolungata esposizione al fuoco, e le caratteristiche della pasta si colgono male.

SG 236

Frazione di spalla con un'ansa.

Argilla arancione con nucleo grigio, assai grezza e ruvida, smagrita con granelli bianchi e neri; contenente mica scura a scaglie piccole.

Ansa a sezione circolare, appiattita nella parte inferiore, impostata ad anello rialzato sulla spalla convessa.

ansa: $\oslash$ sup.: 2,8

largh. inf.: 5

distanza fra gli attacchi: 10 ca.

Per tipologia e per la pasta, l'ansa è identica a quella dell'anfora dalla tomba 402 della necropoli di San Montano.

13. Le anfore orientali di tipologia non definita

Sono raccolte in questo capitolo le schede di tre frammenti pertinenti ad anfore caratterizzate da anse a maniglia impostate su una parete cilindrica, realizzate in una pasta di aspetto spiccatamente orientale.

La pasta e il modo in cui le anse si impostano sul ventre sono elementi certamente insufficienti per riconoscere il tipo e la fabbrica. Tuttavia, anse piatte su ventri verticali e lisci si riconoscono di frequente in produzioni di area fenicia: si vedano, per esempio, i tipi 272-274 e 312-315 della classificazione della ceramica punica di P. Cintas. Cito a memoria, inoltre, un'anfora con anse verticali piatte impostate su ventre cilindrico, con breve labbro verticale e il fondo consistente in una sorta di bottone, con confronti a Marsiglia, che ricordo come il confronto più calzante per i tre frammenti dallo Scarico Gosetti (1).

SG 237

Ansa con l'attacco superiore; presenta una grossa scheggiatura.
Finissima argilla arancio vivo con superficie arancio crema, smagrita con minuti granelli bianchi.
Ansa piatta impostata a maniglia sul ventre dalle pareti verticali.
largh.: sup.: 5,6
inf.: 4.

SG 238

Ansa con entrambi gli attacchi e parte del ventre.
Argilla arancio vivo con superficie esterna grigia coperta da una spessa ingubbiatura crema che si stacca a squame; è smagrita con finissima sabbia bianca e contiene mica incolore puntiforme.
Ansa piatta e larga impostata a maniglia sul ventre cilindrico.
H: 18,5
ansa: largh.: sup.: 4,4
inf.: 4
distanza fra gli attacchi: 14,5.

SG 239

Ansa con entrambi gli attacchi.
Finissima argilla arancio vivo smagrita con minuti granelli bianchi; superficie esterna in parte grigia, coperta da un'ingubbiatura crema.
Ansa a sezione piatta, impostata a maniglia sul ventre; ventre a pareti cilindriche.
largh.: sup.: 4,4
inf.: 4
distanza fra gli attacchi: 11,6.

---

(1) Il disegno dell'anfora mi fu mostrato da Pierre Rouillard, che qui ringrazio, nel corso del Seminario di Studi sulle Anfore Arcaiche svoltosi a Valbonne nel novembre 1982. Il disegno, a quanto mi risulta, è inedito.

14. Le anfore di produzione locale

Le anfore afferenti alla più antica produzione di Pithecusa sono distinte nei due tipi A e B (1). I due tipi, ben attestati soprattutto nella necropoli (2), si pongono in successione cronologica ininterrotta fra la metà dell'VIII secolo e almeno gli inizi del VI, con il passaggio dal primo al secondo tipo situato intorno alla metà del VII secolo.

Le anfore integre si distinguono fra loro per numerosi particolari, che, però, spesso non si percepiscono con frammenti di piccole dimensioni.

Il tipo A presenta una morfologia prettamente orientale: orlo a cordoncino impostato talvolta su un breve raccordo che non può propriamente definirsi un colletto, più spesso direttamente sulla spalla, che è arrotondata, in continuità col profilo del ventre; questo, infine, va rastremandosi fino ad interrompersi nel fondo piano. Le anse sono a sezione circolare o ellittica, talvolta ingrossate e/o leggermente appiattite presso gli attacchi, impostate sulla spalla e sul ventre.

Il tipo B differisce dal precedente in un numero di particolari che conferiscono all'anfora un aspetto sostanzialmente misto, né del tutto orientale, né del tutto greco. La spalla a pareti concave crea una parvenza di collo, e il rapporto fra l'altezza e la massima espansione diminuisce, come è tipico di una forma più globosa (3). Caratteristico è l'aspetto delle anse: ancora a sezione circolare, esse descrivono un gomito di 90° e sono impostate in modo che i due tronconi superiori, orizzontali, siano allineati fra loro, venendo quasi a «squadrare» il profilo superiore dell'anfora e colmando la depressione creata nel profilo stesso della linea sfuggente della spalla. Questa particolare impostazione delle anse, come vedremo meglio in seguito, è l'elemento tipologico che maggiormente distingue le anfore pithecusane di tipo B dall'anfora etrusca di forma 1 (4).

Altre differenze fra i due gruppi sono rilevabili solo quando essi vengano studiati nel loro complesso. Le anfore di tipo B rispondono a dimensioni standard, con variazioni nell'altezza e nel diametro maggiore nell'ordine massimo di qualche centimetro. La classe è molto omogenea anche dal punto di vista tipologico. Diversa è la situazione per il tipo A: qui si evidenzia una assenza di standardizzazione, pur nella inequivocabile unitarietà del tipo, con notevoli oscillazioni nelle dimensioni (5) e nei particolari tipologici; la capacità appare tuttavia costante e confrontabile con quella delle anfore del gruppo B.

I due tipi impiegano lo stesso genere di impasto, non uniforme, granuloso, in genere cotto irregolarmente; il colore di base oscilla nei toni dell'arancio, ma si modifica a tratti secondo la cottura. Tipico è lo sgrassante, costituito da sabbia vulcanica, spesso con lamelle di magnetite ben evidenti in frattura oppure, più spesso, addensate nell'ingubbiatura (6).

---

(1) Nel volume *Pithekoussai I* G. Buchner e D. Ridgway impiegano una terminologia diversa da quella più recentemente adottata per designare le anfore di produzione locale: il tipo A è detto «tipo comune arcaico», mentre il tipo B è definito «tardo tipo comune locale a spalla sfuggente».
(2) Cfr. D. Ridgway, p. 22 s, gruppi I e II.
(3) Nelle anfore di tipo A il rapporto h/max. esp., assai instabile, oscilla fra 1,33 e 1,6 con una media di 1,41; nelle anfore di tipo B il rapporto varia invece fra 1,22 e 1,37, con una media di 1,29.
(4) Secondo la classificazione dei fratelli F. e M. Py.
(5) Dalla tomba 540 proviene un'anfora di tipo A alta appena 38 cm. Essa potrebbe attestare l'esistenza di una variante di taglia ridotta — accanto ad una taglia media molto varia — non rappresentata finora da altri esemplari nella necropoli perché poco adatta a contenere il corpo di un infante.
(6) Accenni sulla pasta impiegata per le anfore di fabbricazione locale si trovano anche nell'introduzione alla seconda sezione del presente volume e in quella al 12° capitolo.

Si è detto già altrove (7) che l'anfora locale di tipo A deriva dall'anfora orientale a ogiva, con la sostituzione del fondo piano a quello tondeggiante dell'anfora importata. Ora, l'adozione dell'anfora a ogiva da parte dei primi vasai pithecusani solleva un interrogativo: perché è stata adottata — è chiaro che non si tratta di un tentativo di contraffazione, data la modifica del fondo — proprio questa forma, che non è certo la più comune durante la seconda metà dell'VIII secolo, come rilevano i dati statistici emersi dallo studio delle anfore dallo Scarico Gosetti (8)? Posso proporre una spiegazione, ma non dimostrarla.

I produttori di queste anfore si devono forse ricercare fra quei meteci orientali che avevano portato con sé, o importato successivamente al loro arrivo, le anfore a ogiva, e che ora modificavano leggermente la forma tradizionale (9) per adeguarla ad una funzione domestica sostituitasi a quella commerciale o di trasporto. Ciò non contrasterebbe affatto con il ritrovamento di anfore locali di foggia occidentale (10), che potrebbero afferire ad una seconda fabbrica, operante all'interno della tradizione greca. Se questa interpretazione è corretta, il passaggio, avvenuto intorno alla metà del VII secolo, all'anfora di tipo B dai caratteri misti orientali e greci indicherebbe una progressiva perdita di identità della componente orientale stabilmente residente nell'isola, con un'apertura verso la cultura greca e la perdita dei contatti con la madrepatria.

L'ipotesi, nei diversi momenti della sua articolazione, potrebbe trovare sostegno nelle seguenti osservazioni:

1. Le prime anfore locali di tipo A compaiono prima ancora delle più antiche anfore a ogiva a noi pervenute, cioè nel periodo LG I (11). Ciò può essere dovuto alla casualità dei ritrovamenti, ma in ogni caso la produzione delle anfore di tipo A inizia *almeno* in concomitanza con l'arrivo delle primissime anfore orientali, senza quello scarto cronologico che sarebbe stato necessario perché la forma potesse essere recepita da vasai non usi ad essa.

2. La produzione delle anfore di tipo A inizia in un momento troppo alto perché potesse essere stata avviata una qualsivoglia coltivazione su vasta scala: questo dato, insieme con la già notata assenza di standardizzazione nella tipologia e con l'adozione del fondo piano, ne farebbe un contenitore a vocazione originariamente non commerciale o di trasporto, ma un'anfora da derrate di uso prevalentemente domestico, non destinato ad accogliere un prodotto specifico. È tuttavia probabile che poco più tardi l'anfora sia stata

(7) Cfr. *supra*, l'introduzione a questa sezione del volume, p. 90
(8) Nel complesso, fra necropoli e Scarico Gosetti, sono state rinvenute solo 12 anfore a ogiva, contro 25 anfore «fenicie» carenate per lo stesso arco cronologico (2ª metà VIII). Lo studio delle anfore dallo Scarico ha modificato sostanzialmente il quadro originario, cfr. *supra*, introduzione al 12° capitolo, p. 102
(9) La variante a fondo piano è attestata a Pithecusa finora solo in esemplari di produzione locale. Tuttavia, essa era largamente diffusa in Sicilia, nell'ambiente punico di Mozia e a Milazzo, cioè nelle aree in cui circolavano le anfore a ogiva, e si può rapportare alle stesse fabbriche e allo stesso ambito cronologico di quelle: cfr. le note 11, 12 e 24 del capitolo 12. È verosimile, quindi, che i vasai pithecusani non abbiano modificato la forma tradizionale, ma che ne abbiano riprodotto una variante che già conoscevano perché apparteneva al loro repertorio formale tradizionale.
(10) Cfr. D. RIDGWAY, p. 23, gruppi III e IV.
(11) Si tratta delle anfore dalle tombe 576 e 578, non conservate: cfr D. RIDGWAY, p. 22, gruppo I.

utilizzata per l'esportazione di vino (12), anche se più diffusa fuori dell'isola è la successiva anfora di forma B (13).

3. Varie anfore locali dalla necropoli recano segni incisi dopo cottura, e quindi presumibilmente relativi all'uso secondario delle anfore stesse, e forse proprio alla loro ultima funzione come enchytrismoi. Di queste anfore, almeno quattro di tipo A (14) e, significativamente, nessuna di quelle di tipo B recano graffiti che si confrontano con segni alfabetici semitici, o che comunque non sono necessariamente greci; una sola anfora di tipo A (T. 444) reca un'iscrizione inequivocabilmente greca. Ciò potrebbe indicare che la produzione delle prime anfore locali era destinata prevalentemente agli usi domestici della componente orientale della popolazione. Le testimonianze epigrafiche orientali su anfore di produzione locale si esauriscono con il periodo LG II, il che si ricollega con il discorso sulla perdita di identità dei meteci orientali. Questo ben si accorda con la generalità delle iscrizioni semitiche su vasi di produzione locale a Pithecusa, che sono tutte circoscritte alla 2ª metà dell'VIII secolo (15).

Verso il 650 l'anfora pithecusana di tipo A subisce le già note trasformazioni e si regolarizza nelle misure. Fissare con accuratezza il momento in cui si verifica la cesura nella produzione è di fondamentale importanza, perché l'anfora pithecusana di tipo B è regolarmente coinvolta nelle discussioni circa l'origine dell'anfora etrusca, ora indicata come il prototipo di questa, ora come una sua derivazione.

Le più antiche anfore di tipo B, come si diceva, fanno la loro comparsa nella necropoli intorno alla metà del VII secolo (16), mentre la produzione di anfore etrusche non comincia prima del 630 (17). Ma anche altre considerazioni si aggiungono a questa di natura cronologica nel fare dell'anfora pithecusana B il prototipo dell'anfora etrusca di tipo 1 (18). Dal punto di vista tipologico, l'anfora etrusca 1 presenta il fondo piano come quello che caratterizza la produzione locale di Pithecusa. Il fondo piano, come abbiamo rilevato sopra, è presente però anche nell'ambiente punico di Mozia, a Milazzo, e in genere dove circola l'anfora a ogiva, e ciò potrebbe a prima vista indurre a cercare una relazione fra l'anfora etrusca e tipi anforari conosciuti in Sicilia. L'anfora etrusca, tuttavia, unisce al fondo piano una spalla a pareti concave che, non avendo riscontro nei tipi correnti fuori di Ischia, rimanda all'anfora di tipo B come al tramite naturale fra l'anfora a fondo piano e l'anfora etrusca nella sua prima formulazione.

---

(12) G. BUCHNER 6 riconosce come pithecusane A due anfore di Laurentina (rispettivamente dalla tomba 70 e dalla tomba B). Se ciò fosse confermato da esami mineralogici, «si tratterebbe della più antica testimonianza dell'esportazione di vino d'Ischia».

(13) Cfr. G. BUCHNER 6: l'A riconosce come pithecusane di tipo B l'esemplare dalla T. 441 di Calatia e quello dalla T. 1231 della necropoli del Rifriscolaro. Sembrano inoltre pertinenti ad anfore di produzione locale B tre frammenti dagli strati arcaici di Pompei: cfr. N. DI SANDRO 3, nrr. 11 e 12 (frr. di labbri), e 13 (ansa).

(14) Segni alfabetici non greci, o non necessariamente greci, comunque tutti con riscontri in iscrizioni semitiche, compaiono sulle anfore locali A dalle tombe 291, 344, 351 e 419.

(15) G. BUCHNER 5, pp. 290-296.

(16) Cfr. G. BUCHNER 6: «Sebbene non possiamo ancora precisare con esattezza il momento in cui l'anfora della forma A è stata sostituita da quella della forma B, sembra tuttavia ragionevole ritenere che ciò sia avvenuto intorno alla metà del VII secolo a.C.». Cfr. anche i dati riassunti da D. RIDGWAY, p. 23, gruppo II: 9 anfore di tipo B si collocano nel periodo LPC-C.

(17) Cfr. da ultimo i pannelli esplicativi della mostra «Le anfore da trasporto e il commercio arcaico in Etruria», Roma, Museo di Villa Giulia, e il relativo catalogo.

(18) Anfore etrusche di tipo 1 sono illustrate in F. E M. PY, figg. 2.3 e 10.1.

Le anfore pithecusane di tipo B, anzi, e le prime anfore etrusche sono tanto simili da essere ancora oggi spesso confuse, e perlopiù a danno delle prime: G. Buchner (19) riconosce come pithecusane B anfore che nella mostra di Roma (20) sono indicate come etrusche: per esempio, l'anfora dalla T. 441 di Calatia, o l'esemplare da Camarina, Rifriscolaro, T. 1231, inv. 7817. L'esperienza che ho acquisito lavorando sulle anfore dallo Scarico Gosetti mi consente di concordare senza riserve con le critiche espresse dal dr. Buchner.

C'è in verità, mi sembra, qualche indizio tipologico di non sempre chiara evidenza che aiuta a distinguere le anfore locali di tipo B dalle anfore etrusche a fondo piano di tipo 1. In queste ultime, per esempio, la spalla a pareti concave è più bassa e larga, più marcatamente distinta dal ventre rispetto alle anfore di tipo B, la cui spalla è, piuttosto, sfuggente. Con maggiore evidenza e regolarità differisce però, l'impostazione delle anse. Nelle anfore locali, come si è visto, l'ansa si piega al centro formando un angolo di 90°, tracciando come due lati di un quadrato; le sezioni orizzontali delle due anse sono pressoché allineate fra loro e, insieme con le due sezioni verticali che «cadono» quasi sulla massima espansione, tendono a «squadrare» il profilo superiore del vaso. Le anse delle anfore etrusche sono impostate anch'esse sulla spalla; tuttavia, e per l'aspetto di questa, che è più bassa e larga, e per la forma dell'ansa stessa, che si iscrive meglio in un triangolo che in un quadrato (perché le due sezioni formano un angolo inferiore a 90°), esse tendono a seguire la linea della spalla piuttosto che a squadrarla, alzandosi su di essa come due orecchie e sormontando l'attacco superiore. Infine, l'anfora etrusca ha la propria massima espansione all'attacco fra la spalla e il ventre, apparendo così più slanciata dell'anfora pithecusana di tipo B, col suo ventre simmetricamente espanso.

L'aspetto della pasta non offre solitamente un valido aiuto per distinguere le due produzioni. Vi sono infatti paste c.d. «etrusche» molto vicine a quella impiegata a Pithecusa, che già di per sé è molto varia. Sono vivamente auspicabili esami mineralogici che aiutino non solo a riconoscere la pasta pithecusana ma anche a distinguere le anfore etrusche in base ai loro centri di produzione, la cui pluralità si può oggi solo intuire.

Alle osservazioni cronologiche e tipologiche che assegnano all'anfora pithecusana B la priorità rispetto all'anfora etrusca, si aggiunge un'ultima considerazione, che esclude l'intervento di una terza fabbrica nell'«invenzione» del contenitore commerciale etrusco. Fra l'Etruria e Pithecusa sono esistite fin dalla creazione dello scalo relazioni intense: Pithecusa è nata, anzi, come punto di appoggio in vista del commercio con la regione metallifera dell'Elba (21). Prova di questi rapporti è il ritrovamento a Pithecusa di un pezzo di minerale di ferro non lavorato proveniente dall'Elba (22), mentre riflesso dei legami commerciali e, inevitabilmente, anche culturali sono l'assoluta identità degli ornamenti personali in metallo che si trovano nelle tombe di San Montano con quelli provenienti da tombe

(19) Cfr. la nota 13.
(20) Mostra citata in nota 17.
(21) Cfr. G. BUCHNER 5, p. 295 s.
(22) Cfr. G. BUCHNER 5, p. 295 nota 29.

contemporanee dell'Etruria (23), e l'influsso esercitato dai piatti di tipo fenicio prodotti a Ischia e decorati secondo schemi euboici sulla ceramica etrusca, dove il tipo ispira i celebri piatti ad aironi (24).

Una tradizione di rapporti culturali fra Pithecusa e l'Etruria si intravvede, dunque, dietro la creazione dell'anfora etrusca e, insieme con i dati cronologici e di tipologia già esposti, sorregge la tesi della priorità del modello pithecusano rispetto a quello etrusco.

In questo capitolo, dunque, il catalogo è organizzato in modo da distinguere le anfore di produzione arcaica da quelle più tarde, afferenti al tipo B; segue il frammento SG 246, troppo piccolo perché lo si possa attribuire con sicurezza ad un tipo o all'altro; infine, sono pubblicate le schede dei frammenti dipinti SG 246 e 263, per qualche verso memori della serie dipinta non ingubbiata prodotta a Chios, ma più probabilmente da attribuirsi, con riserva, a fabbrica locale. A questi due frammenti dipinti se ne unisce un terzo, SG 14, incluso fra le anfore SOS perché ne imita la sintassi decorativa.

14 a. Le anfore locali di tipo A

SG 242

Frammento di labbro e spalla.
Argilla arancio con nucleo giallastro e scialbatura biancastra, smagrita con sabbia vulcanica a granelli medi, contenente poco quarzo e poca mica nera a scaglie medio-grandi.
Orletto arrotolato impostato sulla spalla a pareti oblique.
ƀ int., ric.: 13,2
labbro: $\varnothing$: 2.

SG 243

Frammento di labbro, collo e spalla.
Argilla molto ruvida, arancione, con nucleo fra bruno e grigio e scialbatura crema, smagrita con cristalli di quarzo, granuli bianchi calcarei, grossi granelli e inclusi neri; mica nera a scaglie medio-piccole.
Labbro arrotondato su basso colletto cilindrico, nettamente distinto dalla spalla che, per il modesto tratto conservato, si presenta quasi orizzontale.
H: 5,5
ƀ int., ric.: 13
labbro: h: 1,8
       spess.: ca 1,4
collo: h: 1,4

Il frammento è pertinente ad un'anfora locale arcaica in una variante con breve colletto di raccordo fra il labbro e la spalla, simile a quello che si riscontra negli esemplari dalle tombe 338, 366, 393, 428.

---

(23) Cfr. G. BUCHNER 3, p. 77.
(24) Cfr. G. BUCHNER 4, pp. 268-270.

SG 247

Ansa con la parte della spalla compresa fra gli attacchi.

Argilla rosa-arancio con scialbatura giallastra, smagrita con sabbia vulcanica e contenente scaglie di mica scura di taglia medio-piccola.

Ansa curva a sezione circolare, impostata sulla spalla obliqua a pareti leggermente convesse.

ansa: $\varnothing$: 3,8

SG 248

Frammento di ansa con un attacco, probabilmente il superiore.

Argilla arancio con nucleo grigio-camoscio e scialbatura arancio crema, smagrita con granelli vetrosi bianchi e neri di taglia media e contenente alcuni inclusi degli stessi minerali ma di taglia maggiore; contiene anche scaglie di mica scura di dimensioni medie; la superficie esterna è in parte annerita.

Ansa curva a sezione circolare impostata su spalla obliqua.

Cinque trattini orizzontali paralleli sono stati incisi dopo la cottura sulla costa dell'ansa.

$\varnothing$: 3,2

Che l'attacco conservato sia quello superiore è suggerito dalla collocazione dei trattini, che sarebbero stati invisibili se incisi sulla sezione inferiore dell'ansa.

L'impasto è affine a quello dell'ansa SG 263, e la parte annerita presso l'attacco potrebbe essere vernice colata.

SG 249

Frammento di ansa con l'attacco superiore e una frazione della spalla.

Argilla arancio chiaro con nucleo tendente al porpora e scialbatura giallognola a tratti rosata, smagrita con fitta sabbia vulcanica a granelli fini, con mica scura a scaglie medie.

Ansa curva a sezione circolare, impostata su spalla a pareti oblique.

$\varnothing$ alla frattura: 3,3.

SG 250

Frammento di ansa con parte dell'attacco superiore.

Argilla arancione con scialbatura crema rosata, smagrita con sabbia vulcanica a granelli fini, prevalentemente neri ma, in misura minore, anche bianchi, contenente mica scura a scaglie medie.

Ansa curva a sezione circolare, appiattita in prossimità dell'attacco superiore.

ansa: sez. sup.: 3,4×2,6

$\varnothing$ inf.: 2,5.

SG 251

Frammento di ansa con attacco inferiore e parte della spalla.

Argilla grigio-violacea con ingubbiatura biancastra, molto granulosa, smagrita con sabbia vulcanica locale, contenente mica scura a scaglie medie e lamelle nere di magnetite.

Spalla convessa; ansa a sezione circolare appiattita alla base con una piccola impressione digitale presso l'attacco inferiore.

H: 12

ansa: $\oslash$: 2,9.

SG 252

Frammento di ansa con l'attacco inferiore e un breve tratto della spalla.

Ruvidissima argilla arancione con scialbatura crema, che per effetto di cottura presenta parti annerite e tende nel complesso verso il grigio; nucleo grigio; smagrita con molto quarzo incolore e con granelli angolari opachi neri e bianco-giallastri.

Ansa a sezione circolare fortemente appiattita presso l'attacco, impostata su spalla convessa.

ansa: $\oslash$: ca 2,5

largh. all'attacco: ca 4

Il frammento è più probabilmente da riferirsi ad un'anfora locale arcaica, anche se non può escludersi completamente la possibilità che esso appartenga ad un'anfora orientale a ogiva.

SG 253

Frammento di ansa con l'attacco inferiore e una parte della spalla.

Argilla rossastra con nucleo grigio chiaro e scialbatura arancio crema, smagrita con sabbia vulcanica e contenente scaglie di mica scura di taglia medio-piccola.

Grossa ansa curva a sezione circolare, ingrossata alla base, impostata su spalla obliqua.

ansa: $\oslash$: sup.: 5,1

inf.: 5,7.

SG 254

Frammento di ansa con l'attacco inferiore e una frazione della spalla.

Argilla arancione con nucleo grigio-camoscio e superficie di un arancio meno vivo; scarse tracce di ingubbiatura biancastra; smagrita con sabbia a granelli sia neri che chiari e contenente abbondante mica bianca fine, mica nera e color ambra a scaglie medie, e lamelle di magnetite di taglia media.

Ansa curva a sezione circolare impostata su spalla obliqua.

$\oslash$: 3,2

Un appiattimento rilevabile lungo la costa dell'ansa, in prossimità dell'attacco, potrebbe significare che l'attacco stesso è quello inferiore.

SG 255

Frammento di ansa con l'attacco inferiore e un breve tratto della spalla.

Argilla bruna con nucleo grigio chiaro e scialbatura crema, smagrita con sabbia a granelli neri di media taglia, contenente mica puntiforme incolore con qualche piccola scaglia color ambra e qualche lamella nera.

Sottile ansa curva a sezione piatta, impostata su spalla fortemente obliqua; in corrispondenza dell'attacco inferiore si avverte una lieve depressione che non si può propriamente definire un'impressione digitale.

ansa: sez.: 3,4 × 1,6

Simile a questa, anche per la depressione presso l'attacco inferiore, è l'ansa dell'anfora dalla tomba 366 della necropoli di San Montano.

SG 256

Ansa.

Argilla arancio con scialbatura rosata, consumata e annerita a tratti; smagrita con sabbia vulcanica a granelli fini, contiene mica scura a scaglie medio-piccole.

Ansa curva a sezione circolare, appiattita presso l'attacco superiore.

ansa: sez. sup.: 4,5 × 2,5

Ø inf.: 3.

SG 257

Frammento di ansa.

Argilla arancione con nucleo grigiastro e scialbatura arancio-rosata; assai granulosa, è smagrita con abbondante quarzo, prevalente sugli altri inclusi, perlopiù granelli biancastri opachi. Contiene poca mica scura e dorata a scaglie piccole o puntiforme.

Ansa curva a sezione circolare.

Ø: 3,7

L'argilla è identica a quella dell'ansa SG 263, anche se la superficie è più granulosa; la forma richiama quella delle anse cilindriche della produzione corinzia A, con curva superiore appena accennata: questa è probabilmente solo una suggestione dovuta al modo in cui l'ansa si è spezzata, ma consiglia comunque di accettare l'attribuzione con riserva.

14 b. Le anfore locali di tipo B

SG 244

2 frammenti combacianti corrispondenti a parte del labbro e della spalla, con un'ansa.

Argilla ruvida arancio crema, coperta da una sottile scialbatura crema che sembra assente dall'ansa; nucleo bruno-grigio ben definito; smagrita con sabbia scura a granelli prevalentemente piccoli, ma, talvolta, anche di grandezza media, e con abbondante quarzo, contiene molta mica scura; frattura molto netta e ruvida.

Piccolo orlo arrotolato a sezione piena; alta spalla sfuggente; ansa a sezione circolare ingrossata in basso, impostata verticalmente sulla spalla.

H: 21
ʙ int., ric.: 12,4
labbro: sez.: 2
ansa: ⌀ sup.: 3,6
        inf.: 3,8.

SG 245

Frammento di labbro e spalla.

Argilla arancio con nucleo grigio e tracce di scialbatura biancastra, smagrita con fine sabbia vulcanica e contenente mica scura e frequenti piccoli cristalli di quarzo. Il frammento è molto abraso.

Orletto arrotolato impostato su spalla a pareti concave.

ʙ int. ric.: 11,6
labbro: sez.: 1,8.

SG 258

Ansa.

Argilla rosa-arancio con nucleo grigiastro e scialbatura crema, smagrita con fitti granelli di sabbia vulcanica; frequenti scaglie di mica scura di taglia medio-piccola e mica chiara a scaglie più piccole. Frattura ruvida.

Grossa ansa a gomito a sezione circolare.

⌀: 4,1.

SG 259

Ansa.

Argilla grigio-camoscio smagrita con sabbia vulcanica, contenente scaglie di mica scura e chiara di media e piccola taglia.

Grossa ansa a sezione circolare, piegata a gomito al centro.

⌀: 4,1.

SG 260

Frammento di ansa con l'attacco superiore e una frazione del collo.

Argilla arancio rosato con nucleo grigio chiaro e scialbatura dello stesso colore dell'argilla, smagrita con sabbia vulcanica e granelli fini, con qualche granulo di calcare e un grosso incluso rosso scuro; pochissima mica puntiforme.

Grossa ansa a sezione circolare, probabilmente della varietà a gomito, pertinente ad un'anfora locale tarda con tozzo colletto verticale.

ansa: sez. inf.: 4,4 × 3,8.

SG 261

Frammento di ansa con l'attacco superiore e una frazione del collo.

Argilla arancio con scialbatura rosa-nocciola, smagrita con fine sabbia vulcanica e contenente piccole scaglie di mica scura.

Ansa a sezione circolare, probabilmente della varietà a gomito, pertinente ad un'anfora tarda con tozzo colletto di raccordo fra labbro e spalla.

ansa: $\varnothing$ inf.: 3,4.

SG 262

Frammento di ansa con l'attacco inferiore.

Argilla rosa-arancio con nucleo grigio chiaro e superficie più smorta, smagrita con sabbia vulcanica a granelli fini e contenente mica sia scura che chiara a scaglie medie e piccole; superficie ruvida.

Ansa a sezione circolare, forse del tipo a gomito e pertinente ad un'anfora di tipo B; ingrossata presso l'attacco, che sembra quello inferiore.

$\varnothing$ sup.: 3,3.

14 c. Anfora locale di tipo A o B

SG 246

Frammento di labbro.

Argilla arancio smagrita con sabbia vulcanica, contenente piccole lamelle nere di magnetite.

Labbro arrotolato su se stesso.

Ⴆ int., ric.: 11
labbro: sez.: 1,7

Il frammento è troppo piccolo per attribuirlo al gruppo arcaico o a quello tardo di produzione locale. L'argilla è certamente locale.

14 d. Le anfore locali dipinte

SG 263

Frammento di ansa con l'attacco inf. e una parte della spalla.

Argilla arancione assai granulosa, nucleo tendente al porpora e scialbatura crema; smagrita con frequenti granelli neri di taglia media e con cristalli di quarzo di uguale taglia; pochi inclusi calcarei; poca mica dorata a scaglie medie; vernice nero-bruna.

Grossa ansa a sezione ellittica, impostata su spalla fortemente obliqua; l'attacco inferiore è circoscritto da una fascia larga 1,5 cm in vernice nero-bruna. L'ansa stessa è invece priva di qualunque traccia di decorazione.

ansa: sez.: 4,4×3,4

A prima vista, l'ansa sembrerebbe quella di un'anfora chiota dipinta senza ingubbiatura, del tipo A (e forse A1) della Lambrino (25); tuttavia, la decorazione appare confinata alla zona dell'attacco, mentre ci si aspetterebbe almeno una striscia verticale sulla costa dell'ansa.

L'argilla potrebbe essere di produzione pithecusana: ha raffronti con quella di anse di anfore locali di tipo A o B (cfr., per es., SG 248, 254, 257, 260). Un'attribuzione a fabbrica locale, con riserva, appare la più prudente.

SG 264

Frammento di ansa.

Argilla arancio scuro con nucleo grigiastro, smagrita con frequenti granelli bianchi di dimensioni medio-piccole e minuscoli granelli oscillanti fra il grigio e il celeste; contiene polvere di mica dorata.

Il frammento è verticale, senza accenno di curvatura, a sezione circolare appiattita in alto, percorso da due ampie depressioni longitudinali che mettono in risalto una costolatura centrale; una striscia di vernice rosso-mattone, opaca, di cui si rilevano tracce anche sulla faccia interna, sotto l'attacco superiore dell'ansa, percorre ciascuna delle due scanalature.

H: 10,2
ansa: ∅: 4,2
largh. delle fasce dipinte: 1 cm ca.

Come nel caso del frammento SG 263, al quale questo è molto vicino per la pasta, si ha dapprima la sensazione che si tratti di un frammento di anfora chiota; tuttavia, l'esistenza della costolatura centrale e la presenza di due strisce verticali anziché di una sola sarebbero decisamente anomale nella produzione di Chios. Propendo piuttosto per una prudente attribuzione a fabbrica pithecusana, che vi fosse o meno l'intenzione di imitare le anfore chiote (ben rappresentate, del resto, a Pithecusa: cfr. *supra,* capitolo 5).

Ad una terza anfora dipinta di produzione locale appartiene probabilmente il frammento SG 14, imitante il repertorio delle anfore SOS e perciò pubblicato nel primo capitolo di questo volume.

---

(25) M. LAMBRINO: anfore chiote non ingubbiate sono descritte a p. 107 ss. Cfr. inoltre le figg. 71-74.

15. Le anfore etrusche

Si tratta di tre frammenti cospicui, attribuibili con sufficiente sicurezza, nonostante lo stato comunque lacunoso, ai tipi 3 A 1 (SG 325) e 4 (SG 323 e 324) della classificazione dei fratelli F. e M. Py.

Mancando per ora anfore etrusche in strato da Pithecusa stessa, non è possibile restringere la datazione dei nostri frammenti all'interno dell'excursus generale di ciascuna delle due varianti rappresentate. In Gallia la variante 3 A 1 si situa fra il 620 e la metà del VI secolo (1). Molto più tarda è invece l'altra variante, la 4: questa, che in Gallia conosce una diffusione piuttosto limitata (2), è presente più o meno dal 550 al 400 o anche più tardi, ma la massima concentrazione si raggiunge fra il 525 e il 450 (3).

SG 323

8 frammenti in parte combacianti: a. 5 frammenti combacianti, pertinenti al labbro, alla spalla e ad un'ansa; b. la seconda ansa, in tre frammenti combacianti.

Pasta molto grezza e pesante, dal colore non uniforme caratterizzato da chiazze largamente oscillanti nell'ambito del bruno-marrone; nucleo nerastro; smagrita con frequentissimi granelli neri, rossi e bianchi e con cristalli di quarzo bianchi, contiene molta mica che si presenta sotto forma di lamelle nere e di scaglie color ambra di taglia media.

Alto labbro a pareti tese svasato verso l'orlo, impostato su ampia spalla arrotondata; anse a sezione circolare ingrossate alla base, impostate sulla spalla.

⌀: 20
labbro: h: 6,8
      spess.: 2
ansa: ⌀: 4

L'anfora rientra nel tipo 4 della classificazione dei fratelli Py, non solo per le caratteristiche tipologiche ma anche per l'aspetto della pasta (4). La variante si situa in un vasto arco cronologico, compreso all'incirca fra il 550 e il 400; tuttavia come si è visto (5), la maggior parte degli esemplari si concentrano fra il 525 e il 450.

SG 324

Frammmento del labbro.

Impasto molto pesante, rossastro con il nucleo grigio, assai impuro e grezzo; è ricco di sgrassanti neri, rossi e bianchi di grossa taglia con qualche granello di taglia media e contiene grosse scaglie di mica scura.

Alto labbro a pareti tese svasato verso l'alto, impostato su una spalla obliqua della quale resta solo una frazione.

---

(1) F. e M. Py, p. 176 s.
(2) F. e M. Py: cfr. il grafico = fig. 49, p. 254.
(3) F. e M. Py, p. 199.
(4) Tanto le caratteristiche tipologiche quanto quelle della pasta sono esposte in F. e M. Py, p. 193.
(5) Cfr. *supra,* l'introduzione a questo capitolo.

H: 8,4
Ø int., ric.: 20,4
labbro: h: 5
        spess.: 1,8

Per il commento si confronti il frammento precedente. È da rilevarsi, tuttavia la diversa tonalità dell'argilla impiegata.

SG 325

Frammento di labbro e spalla.
Argilla molto grezza e pesante di colore non unifome, oscillante fra il porpora, l'arancio, il giallognolo; smagrita con sabbia, contiene inclusi color ambra e di quarzo incolore e bianco, e mica scura a scaglie piccole.
Labbro estroflesso aggettante su un breve raccordo cilindrico; spalla ampia e arrotondata.
H: 23 ca
Ø int., ric.: 10,6
labbro: h (con colletto): 5,2
        spess.: 2,2

Il frammento rientra probabilmente nella forma 3 A della classificazione dei fratelli Py. La pasta rientra nel primo dei cinque gruppi indicati come propri della variante 3 (6). Dalla combinazione degli aspetti tipologici e della pasta si ricava una cronologia abbastanza alta: 620-550 a.C. (7).

(6) Per la forma 3 A cfr. F. e M. Py, p. 168. Le caratteristiche dei cinque tipi di pasta sono a p. 169.
(7) F. e M. Py, p. 176 s.

PARTE TERZA

LE ANFORE DI FABBRICA NON INDIVIDUATA

16. I frammenti di fabbrica non identificata

Di 29 frammenti fra quelli piuttosto ben caratterizzati (labbri, colli, fondi, anse) non è stato riconosciuto il centro produttore. Essi sembrano da rapportarsi perlopiù ad anfore di tipologia greca, in cui ciascun elemento è ben distinto da quelli attigui, e il profilo è scandito dall'alternarsi di segmenti convessi, concavi o verticali. Viceversa, i frammenti SG 333 e 334 sembrano rientrare in una tipologia orientale, in cui prevale la continuità del profilo e mancano elementi che siano di raccordo e di rottura al tempo stesso (il collo, il piede distinto dalle pareti del ventre). Il frammento SG 240, per contro, presenta una pasta dall'aspetto tipicamente fenicio, mentre il vaso in sé sembra piuttosto articolato, con il labbro di tipo insolito.

In qualche caso ho segnalato confronti — il cui grado di attendibilità è di volta in volta specificato — con anfore dalla necropoli di San Montano o dalla terraferma campana. Il caso sicuramente più interessante è quello del frammento SG 326, che si confronta con un bel pezzo bollato proveniente dallo stesso Scarico e già pubblicato (si veda il commento al frammento), che a sua volta richiama una pinax dall'Heraion di Samos.

Altri quattro frammenti, oltre al 326, presentano segni debolmente dipinti (SG 204 e 332) oppure incisi (SG 328; SG 344, che è un'ansa bollata), nessuno chiaramente leggibile.

Infine, vorrei avvertire il lettore che talvolta, oltre alla provenienza, è incerto persino se il frammento si riferisca o meno ad un'anfora; per correttezza scientifica, ho incluso anche questi frammenti nel catalogo, indicando però sempre questa difficoltà, come ogni altra, nel commento che segue la descrizione del frammento stesso.

SG 204

Frammento di labbro, collo e spalla, con un'ansa completa e l'attacco dell'altra.

Argilla rossastra, rosa in superficie e brunastra nel nucleo, molto fine e compatta; radi, finissimi granellini bianchi presenti nell'impasto.

Labbro formato per ingrossamento della parete del collo, leggermente svasato verso l'alto, distinto dal collo da una lievissima scanalatura; collo a pareti leggermente concave, formante profilo continuo con la spalla; anse a sezione ovale impostate sul collo e sulla spalla, sulla quale scendono con lieve divergenza.

Sul collo, sotto l'ansa conservata, si trova un segno verticale in vernice rossa.

ᛒ int.: 13
labbro: h: 4,5
      spess.: 1,9
anse: sez.: 4 × 3.

SG 240

Due frammenti combacianti, pertinenti a parte del labbro e del collo.

Argilla rosso vivo con ingubbiatura giallo crema; frattura molto dura e netta; superfici e frattura ruvide.

Labbro «rivoltato» fortemente aggettante sul collo: nasce in continuità col profilo interno del collo, ma è poi modellato da una serie di scanalature che interrompono il profilo e lo complicano con una serie di angoli più o meno morbidi; collo basso a pareti fortemente concave.

ϐ est.: ca 18,3
làbbro: h: 2,4
      largh.: 4,5 ca

La qualità dell'argilla, in particolare la netta scansione delle zone di colore e la ruvidezza al tatto, suggeriscono una fabbrica di area fenicia, ma non conosco alcun confronto per il frammento in questione.

SG 241

Frammento di labbro con una frazione del collo.
Argilla omogeneamente arancione, molto fine, contenente poca polvere di sabbia bianca e priva di mica.
Alto labbro verticale con profilo interno spiccatamente svasato, aggettante sul collo dalle pareti fortemente concave.

ϐ est.: 13 ca
labbro: h: 2,5
      spess.: 2.

SG 326

Cinque frammenti combacianti, relativi a labbro, collo e spalla, con gli attacchi superiori delle anse.
Argilla leggera, sottile e secca, sfumante nei toni del bruno e coperta da un'ingubbiatura bianco-grigiastra che si stacca facilmente ma non si polverizza e della quale restano poche tracce; smagrita con radi granelli neri e qualche incluso bianco-giallastro (frammentini di osso?), e contenente poca mica incolore puntiforme. Frattura angolosa e tagliente.
Labbro piccolo, formato da un ingrossamento della parete del collo, rivolto verso l'alto e verso l'interno; collo breve a pareti verticali, nettamente distinto dalla spalla piatta; anse piccole a sezione ovale, impostate sul collo, 1,6 cm sotto il labbro.
Sulla spalla compare l'inizio di un segno graffito a crudo, interrotto dalla frattura del vaso; probabilmente si trattava di un sigillo o di un motivo decorativo, non di un'iscrizione.

ϐ int.: 12
labbro: h: 1,5
      spess.: 0,8
collo: h: 6
anse: sez.: 2,9 × 1,8

Per tipologia, argilla, ingubbiatura e dimensioni il frammento si confronta esattamente con il collo inv. 170133, già pubblicato in G. BUCHNER 1, p. 11, proveniente anch'esso dallo Scarico Gosetti; questo secondo frammento deve il suo interesse ad un sigillo impresso sul collo, raffigurante Aiace che trasporta il corpo di Achille. Un sigillo identico — rileva G. Buchner — è impresso su una pinax dal santuario di Hera a Samos, ma questo non aiuta a stabilire la provenienza delle due anfore pithecusane, essendo la pinax un oggetto votivo a sua volta importato a Samos.

SG 327

Tre frammenti combacianti, corrispondenti alla maggior parte del labbro e del collo, con una parte della spalla, un'ansa e l'attacco della seconda ansa.

Argilla arancione, fine e dura, ruvida, smagrita con granelli bianchi finissimi, e rossicci e grigio-neri di taglia media; mica assente.

Labbro piccolo a sezione ogivale, formato per ingrossamento della parete del collo, svasato verso l'orlo; stretto collo a pareti leggermente concave, svasato in alto, nettamente distinto dalla spalla; spalla ampia e bassa a pareti convesse; anse brevi e larghe a sezione appiattita, impostate sul collo subito sotto il labbro, e discendenti con ampia curva sul centro della spalla.

H: 14,5
∅: 12
labbro: h: 2,2
        spess.: 1,2
collo: h: 7,5
        ∅ base: 9
anse: sez.: 4×2,2.

Questo frammento si confronta abbastanza bene con un frammento proveniente da uno strato arcaico di Pompei, contenente materiale prevalentemente di VI secolo (cfr. N. DI SANDRO 3, nr. 15).

SG 328

Frammento di labbro con una frazione del collo.

Argilla arancio pallido con scialbatura crema, pesante e granulosa, smagrita con granelli bianchi e neri, prevalentemente di taglia piccola ma talora anche di media grandezza; pochissima mica dorata puntiforme; frattura dura con aspetto scistoso; l'argilla si sfalda toccandola.

Labbro molto alto e grosso, con parete esterna convessa e spessore assottigliantesi verso l'orlo appuntito; collo a pareti verticali.

H: 6,5
∅ int., ric.: 12 (?)
labbro: h: 4,6
        spess.: 2

Sul bordo sono graffiti due segni con tratti larghi e poco profondi; l'iscrizione probabilmente continuava oltre la frattura del frammento.

Il labbro potrebbe non riferirsi ad un'anfora da trasporto. Comunque l'impasto richiama l'ambiente etrusco, e il labbro, a sua volta, assomiglia vagamente al tipo 4 della classificazione di F. E M. PY.

SG 329

Frammento di labbro e collo.
Argilla rossa smagrita con granelli bianchi e rosso scuro di taglia media; ingubbiatura crema.

Labbro alto e sottile a profilo convesso-concavo, terminante in una risega sul collo, dal quale non è distinto; collo cilindrico.

H: 14

ƀ int., ric.: 7

labbro: h: 3,2

      spess.: 1,2 ÷ 1.

SG 330

Metà del labbro.
Argilla molto fine, rossa, con radi finissimi granelli bianchi e poca mica incolore puntiforme.

Labbro a sezione triangolare con l'orlo rappresentato da una vertice; pareti interna convessa ed esterna tesa; un profondo solco nella parte inferiore del labbro ne segna l'attacco sul collo.

H: 2,5

ƀ int.: 14

labbro: larghezza della faccia est.: 2,2.

SG 331

Frammento di labbro.
Argilla rossa con superficie grigio-camoscio e scialbatura crema sia interna che esterna, smagrita con moltissimi fini granelli bianchi.

Labbro con parete esterna verticale aggettante sul collo, separata come da un dentino dalla faccia superiore, che è fortemente inclinata verso l'esterno e il basso; parete interna sfuggente verso l'esterno; collo a pareti concave.

H: 5

ƀ int., ric.: 13,6

labbro: h: 2,3

      spess.: 2

Il labbro potrebbe essere pertinente ad un'anfora tripolitana simile all'esemplare fotografato (e purtroppo non illustrato né con disegno né con descrizione) in *Archeologia Subacquea*, p. 30, n. 53.

SG 332

Frammento di labbro.
Argilla rosso scuro, nucleo e superficie esterna grigi, superficie interna in parte grigia e a tratti marrone rossastro; tracce di scialbatura crema sulla parete esterna; smagrita con fini granelli bianchi fittamente addensati.

Labbro con parete interna sfuggente verso l'esterno, faccia superiore breve e fortemente inclinata verso l'esterno e il basso, dentino al passaggio alla faccia esterna verticale aggettante sul collo; collo a pareti concave.

H: 6

ß int., ric.: 12,6

labbro: h: 2,7

       spess.: 2,2

Sul collo tracce di iscrizione in vernice rossa, visibili solo con luce radente e comunque non leggibili.

Il labbro è dello stesso tipo del frammento SG 331, nonostante l'altezza superiore e il diverso esito di cottura dell'argilla.

SG 333

Frammento di labbro.

Argilla rossa contenente poca finissima sabbia bianca; superficie esterna più scura e opaca.

Labbro obliquo, formato da un leggero ingrossamento della parete della spalla, con cui è in continuità, salvo per un lieve sottosquadro di quest'ultima rispetto al labbro stesso.

ß int., ric.: 12

labbro: largh.: 5,3

       spess.: 1,7

Per l'assenza del collo il frammento sembra pertinente ad un'anfora di tipo orientale piuttosto che greco.

Argilla e lavorazione richiamano quelle del frammento SG 330.

SG 334

Frammento di labbro.

Argilla rossa contenente poca finissima sabbia bianca; superficie esterna più scura e opaca.

Labbro obliquo largo e basso, formato per ingrossamento della parete della spalla, con cui è in continuità; la parete della spalla è in lieve sottosquadro rispetto al labbro.

ß int., ric.: 11

labbro: largh.: 4,6

       spess.: 1,6

Il labbro è identico al precedente salvo per le dimensioni leggermente più ridotte di SG 334.

Le bocche dei vasi a cui sono pertinenti questo frammento e SG 333 hanno un diametro piuttosto ridotto, ed è questa circostanza che induce a privilegiare l'ipotesi dell'appartenenza dei frammenti stessi ad un'anfora piuttosto che ad un'olla o ad un'altra forma.

SG 335

Frammento di labbro e collo, con l'attacco superiore di un'ansa.

Argilla molto pesante, ruvida e compatta, tendente al porpora con scialbatura piú chiara.

Il labbro è gravemente scheggiato: la faccia superiore è obliqua, orientata verso l'esterno e il basso: forse la sezione era a triangolo, con parete interna verticale; alto collo a pareti convesse; grossa ansa ellittica impostata sotto il labbro.

H: 6
℔ int., ric.: 11,4
labbro: h: 2,7
collo: h: 12
ansa: sez.: 4,8×2.

SG 336

Frammento di ansa con frazione di labbro e collo.

Argilla arancio pallido, molto fine e ben depurata, smagrita con poca sabbia a granelli medio-piccoli; ingubbiatura crema lisciata a stecca, che si stacca a scaglie; poca mica dorata.

Orletto leggermente svasato, sotto il quale si imposta l'ansa; ansa a sezione ovale con la costa percorsa da una profonda e ampia depressione longitudinale; l'ansa consiste di un tratto orizzontale e uno verticale che si congiungono in un'ampia curva.

orlo: h: 0,5
    spess.: 0,5
ansa: sez.: 3,3×1,8
    h: 8,5.

SG 337

Due frammenti combacianti, corrispondenti a parte del collo con un'ansa, conservata dall'attacco inferiore sulla spalla fin quasi all'attacco superiore.

Argilla rosso vivo con nucleo grigio e ingubbiatura crema; nella tessitura compatta si riconoscono pochi granelli di sabbia bianchi; frattura dura.

Collo rastremato in alto, formante profilo continuo con la spalla; la lunghezza dell'ansa indica che il collo era molto alto; alta ansa a sezione piatta, impostata inferiormente sulla spalla, su cui scende con linea sinuosa.

collo: H: 10
    ∅ sup.: 10,5
ansa: h: 23
    sez.: 4,2×1,8

L'argilla è identica a quella del frammento SG 240.

SG 338

Frammento di collo e spalla con un'ansa.

Argilla arancione smagrita con granelli rossi di taglia medio-piccola e bianchi di taglia finissima; mica puntiforme incolore; scialbatura arancio crema.

Collo a pareti leggermente concave, nettamente distinto dalla spalla ampia e bassa con parete fortemente convessa; ansa a sezione ovale impostata con ampia curva sul collo e sulla spalla, sulla quale scende con una certa divergenza.

H: 9,3

collo: ∅: 13,8

ansa: sez.: 3,2×1,9.

SG 339

Frammento di collo e spalla.

Argilla arancione molto fine e compatta con nucleo bruno, smagrita con finissimi granelli neri e contenente qualche incluso bianco, cosparsa di mica incolore puntiforme; vernice bruna.

Stretto collo verticale nettamente distinto dalla spalla obliqua a pareti tese. Tracce di decorazione a fasce (o di copertura totale della zona conservata dell'anfora) in vernice bruna.

H: 5,5

collo: ∅ base: 10,6.

SG 340

Fondo.

Argilla nocciola smagrita con fine sabbia chiara, contenente mica incolore puntiforme e nera a scaglie medio-piccole.

Piccolo fondo svasato, internamente cavo, ombelicato e col bordo inferiore arrotondato.

fondo: h: 1,7

∅: 5.

SG 341

Fondo.

Argilla arancio-nocciola, variamente sfumata in frattura, smagrita con finissimi granelli bianchi, contenente mica incolore puntiforme con qualche scaglia nera di taglia media; dura e secca, la pasta presenta tessitura finissima e frattura assai netta.

Punta a sezione piena, composta come da due anelli sovrapposti e schiacciati, «compressi», quello inferiore più stretto di diametro.

H: 4,5

fondo: h: 1,6

∅: 4,9.

SG 344

Frammento di ansa, bollata.

Argilla grigiastra smagrita con fini granelli grigi e ambra.

Ansa sottile a sezione ovale, con bollo sulla curva. Potrebbe, data la sottigliezza, non essere pertinente ad un'anfora.

Bollo rettangolare con iscrizione a caratteri molto sottili, leggibili con difficoltà.

ansa: Lungh.: 5,5
   sez.: 3 × 1,4
bollo: lungh.: 2
   h: 1.

SG 345

Frammento di ansa, con l'attacco inferiore e una parte della spalla.

Argilla rosso-arancio con nucleo bruno, smagrita con finissimi granelli bianchi.

Ansa a sezione ovale, con profonda impressione digitale rotonda presso l'attacco sulla spalla, che è ampia e piatta.

H: ca 14
ansa: sez.: 4,2 × 2,4.

SG 346

Ansa con entrambi gli attacchi.

Argilla bruno-rossiccio smorto, fine e compatta, contenente poca mica puntiforme; vernice rosso-bruna.

Ansa fortemente ricurva a sezione ovale appiattita, impostata fra il collo cilindrico e la spalla fortemente obliqua; è verniciata con pittura bruna distribuita sulla costa in modo tanto affrettato che in alto sembra si tratti di uno scolo piuttosto che di una forma di decorazione.

H: 11,6
Lungh.: 16
sez.: ca 3,5 × 2,4.

SG 347

Frammento di ansa, con un attacco.

Argilla marrone-rossastro, molto grossolana e scistosa, *overfired;* ingubbiatura (?) rosso scuro; smagrita con granelli bianchi e neri e con abbondante quarzo incolore, contiene scaglie di mica scura e lamelle nere di magnetite (?).

Grossa ansa piatta, recante segni di lisciatura con le dita o a stecca intorno all'attacco.

Largh.: 4,9

Per pasta e per tipologia, l'ansa richiama quelle dell'anfora dalla tomba 367 («importata di origine incerta») della necropoli di San Montano.

SG 348

Frammento di ansa con l'attacco superiore.

Argilla molto fine, arancione con nucleo diffusamente grigio e tracce di vernice rossa lungo la costa dell'ansa; smagrita con polvere di sabbia bianca e contenente pochissima mica nera a scaglie e a lamelle di taglia media.

Ansa a sezione ovale impostata sul collo.
H: 6
ansa: sez.: 3,2×2,4.

SG 349

Ansa con attacchi.
Argilla rosa-arancio, ben depurata, coperta da spessa ingubbiatura gialla.
Ansa a grosso bastoncello male appiattita: la faccia interna è piatta con una depressione centrale longitudinale, mentre quella esterna è irregolarmente convessa; arcuata, s'imposta su collo verticale e spalla obliqua.
Lungh.: 20
⌀: 3,8

L'argilla è simile a quella dell'anfora SG 240.

SG 350

Frammento di ansa.
Argilla arancio chiaro, tendente al porpora in frattura, smagrita con inclusi neri grossi, e rossi di dimensioni ancora maggiori; spessa ingubbiatura giallastra.
Grossa ansa a sezione ovale con curva ben pronunciata nella parte superiore, percorsa da una ben evidente costolatura longitudinale.
ansa: largh.: 4,5
    spess.: 3÷1,7

Potrebbe trattarsi di un frammento di anfora greco-italica della forma c di E. LYDING WILL, la cui argilla è descritta in questi termini: «The clay... is coarse. Examples studied by me are deep tannish buff in color with large red bits» (p. 346). Le anse del tipo c, «no longer oval in section, ... have developed a marked dorsal ridge... They are almost triangular in section» (p. 347).

SG 351

Frammento di ansa.
Argilla arancio smagrita con granelli bianchi di sabbia e di quarzo, e con granelli neri in quantità minore; ingubbiatura bianca.
Ansa a sezione ovale con la faccia esterna segnata da due costolature longitudinali.
sez.: 3,7×2,4.

SG 352

Frammento di ansa.
Argilla arancione pesante e ruvida, smagrita con molta sabbia nera e bianca, contenente mica nera e piccoli cristalli di quarzo.
Ansa verticale a sezione circolare irregolarmente appiattita.
sez.: 4,6×2,9

SG 353

Frammento di ansa.

Argilla arancio pallido con frattura grigio-camoscio, smagrita con piccoli e radi granelli neri; vernice opaca nero-bruno.

Ansa curva a sezione ovale; una depressione longitudinale percorre la costa, che è verniciata affrettatamente.

sez.: $3,3 \times 1,6$.

Conteggio finale complessivo dei frammenti

Ho schedato frammenti dallo Scarico Gosetti pertinenti complessivamente a 354 anfore. 244 schede sono pubblicate nel presente volume, mentre 110 schede, pertinenti ad anfore di epoca ellenistica oppure a frammenti non significativi, ne sono state escluse. I dati relativi a questi frammenti sono stati inclusi, tuttavia, nella tabella riassuntiva finale al fine di fornire un quadro esatto delle presenze di anfore nello Scarico Gosetti. Essi si suddividono come segue:

anfore di tipo SOS: 31 frammenti (SG 17-37), relativi a brevi tratti di pareti;

lagynoi chioti: 2 frammenti (SG 142-143), inizialmente schedati per l'interesse presentato dalle anse bollate, succesivamente considerati non pertinenti allo studio.

anfore «chiote»: 8 frr. (SG 165-172) e un gruppo di 14 frammenti (SG 173): relativi a brevi tratti di pareti, sono stati riconosciuti attraverso la pasta, ma non conservano particolari tipolologici.

anfore di Rodi: 5 frammenti (SG 205-209), fra cui due anse bollate: le schede non sono state pubblicate perché i frammenti sono fuori dai limiti cronologici dello studio.

anfore di Taso: 2 frammenti (SG 210-211), la cui provenienza da Taso non è sicura. Come le anfore rodie, anche queste sono fuori dai limiti cronologici previsti per lo studio.

anfore di Kos: 1 frammento (SG 354): oltrepassa i limiti cronologici dello studio.

anfore locali ellenistiche: 58 frr. (SG 265-322), fra cui 19 anse bollate: oltrepassano i limiti cronologici del presente studio.

anfora ellenistica non locale: 1 frammento bollato (SG 226).

anfore greco-italiche: 1 frammento (SG 343) di ansa recante un interessante bollo: oltrepassa i limiti cronologici di questo lavoro.

Ai frammenti schedati, pubblicati o non, si aggiungono numerosissimi frammenti inclassificabili perché piccoli o privi di qualsiasi elemento che possa permetterne il riconoscimento o almeno una descrizione formale. Essi sono stati solo grossolanamente suddivisi in quattro gruppi in base alle caratteristiche generali degli impasti; i quattro gruppi sono, comunque, lungi dall'essere omogenei. Eccoli:

11 frr. di anfore corinzie A o B, o samie;

63 frr. di anfore probabilmente fenicie;

22 frr. in argilla chiara, secca e dura, forse anch'essi relativi ad anfore orientali;

118 frr. misti, non raggruppabili perché privi di caratteristiche comuni.

Osservazioni conclusive

Un utile confronto fra le presenze anforarie riscontrate nella necropoli (1) e quelle relative allo Scarico Gosetti è possibile per i due periodi caratterizzati, rispettivamente, dalla presenza delle anfore locali di tipo A (m VIII-m VII sec.) e di tipo B, fino ai primi decenni del VI secolo (1 bis). In seguito, alla pratica della sepoltura a enchytrismos si sostituisce quella di inumare gli infanti della comunità greca di Pithecusa fra due tegole (2), il che ci priva di preziosi dati di raffronto.

Nel primo dei periodi considerati (LG I-MPC) le anfore importate rappresentano nella necropoli il 25% del totale, equamente suddiviso fra anfore di tipologia occidentale (anfore di tipo SOS importate: 9 esemplari; anfore corinzie A: 2 esemplari), e anfore di tipologia orientale (anfore fenicie carenate: 5; anfore a ogiva: 7).

Nello Scarico Gosetti, invece, questo equilibrio si altera a netto vantaggio delle anfore greche: circa 46 anfore SOS e almeno 9 delle 24 anfore corinzie A sono infatti da rapportarsi, al più tardi, alla metà del VII secolo, mentre le presenze orientali si limitano a 19 anfore fenicie a spalla carenata e solo 5 anfore a ogiva. Sono quasi certamente da aggiungersi al primo elenco almeno alcuni dei frammenti di anfore corinzie A prive del labbro (che è l'elemento che meglio permette di inquadrare cronologicamente il tipo).

Sorprende più di tutto lo scarto fra le presenze corinzie nei due siti: i dati da San Montano, infatti, facevano sì che le due anfore si configurassero come un episodio casuale a Pithecusa, laddove la presenza della classe stessa è cospicua e protratta nel tempo.

Il panorama si modifica nel secondo periodo considerato (LPC-MC). Si nota ora un calo generalizzato delle importazioni, ma, anche in questo caso, la necropoli fornisce un quadro di «povertà» che solo in parte è confermato dai dati dallo Scarico. A San Montano, infatti, alle 15 anfore locali di tipo B si oppone una sola anfora chiota dipinta. Questa classe appare invece ben più significativamente rappresentata nello Scarico, con 12 frammenti. Inoltre, pur con i problemi di datazione legati ai frammenti, sembra che le anfore corinzie di tipo A continuino ad affluire a Pithecusa, mentre vi si affaccia anche la produzione anforaria di Lesbos. Lo Scarico conferma invece pienamente i dati della necropoli per quanto riguarda la totale uscita di scena delle anfore orientali.

Lo Scarico Gosetti si rivela prezioso soprattutto per i periodi successivi, quando, come si è visto, la necropoli smette di fornire informazioni sulle anfore a causa della modifica intervenuta nel costume funerario. Purtroppo, l'assenza delle classi più tarde dalla necropoli ne rende poi problematica la datazione nello Scarico. Le cronologie fornite sono pertanto solo indicative, basate su riscontri bibliografici, in attesa che emergano dati stratigrafici dai livelli dell'abitato di Pithecusa.

In linea di massima, le anfore successive alla metà del VI secolo a.C. si conformano al panorama «vinario» già evidenziato per la Campania (3), anche se non mancano anfore

---

(1) I dati relativi alle presenze di anfore nella parte scavata e studiata dalla necropoli di San Montano si desumono da D. RIDGWAY, pp. 22-24, e da G. BUCHNER 6.
(1 bis) I rapporti forniti hanno valore puramente indicativo e vanno letti con le riserve espresse da Giorgio Buchner nella premessa al presente volume, relative al criterio di selezionamento del materiale da conservare dallo Scarico Gosetti. Mi limito a pochi confronti *solo* fra le anfore importate, mentre ho escluso ogni raffronto quantitativo con o fra le anfore locali nei due siti.
(2) Cfr. G. BUCHNER 6.
(3) Cfr. N. DI SANDRO 1, p. 12 ss.

samie e corinzie A e A', a vocazione olearia. Ciascuna classe inoltre compare a Pithecusa in un maggior numero di esemplari che in qualunque altra località della Campania, ma questo può forse spiegarsi con la natura dei ritrovamenti campani: tutte le anfore dalla terraferma provengono infatti da necropoli, mentre non si hanno informazioni da abitati. Così, numerose si scaglionano fino all'epoca ellenistica anfore corinzie (A, A' e B), marsigliesi e imitazioni di marsigliesi, chiote e c.d. «chiote», samie e greco-orientali non meglio identificate, anfore di Mende e anfore etrusche.

L'abbondanza delle importazioni ribalta l'immagine tradizionale di una Pithecusa in un certo senso «decadente» nel VI-V secolo, quando, persa ogni autonomia politica, si configura come una piccola dipendenza di Cuma. Al contrario, l'isola è ancora al centro di traffici commerciali, o, comunque, persiste una certa ricchezza se almeno una parte della popolazione importa vini pregiati e olio dai principali produttori del Mediterraneo. Una fonte di ricchezza per l'isola può essere stata, nel VI-V secolo, la produzione di terrecotte architettoniche e, in seguito, di ceramica a vernice nera.

L'epoca ellenistica, più tardi, è di nuovo rappresentata da anfore quasi esclusivamente locali, di cui abbiamo qualche testimonianza anche dalla necropoli, dove in qualche caso ricompaiono sepolture a enchytrismos. Queste anfore locali ellenistiche si presentano di particolare interesse per i bolli che ne caratterizzano le anse e che, una volta studiati e pubblicati, permetteranno di riconoscere più agevolmente la produzione pithecusana (e presumibilmente anche cumana (4)) in siti esterni. Per il momento posso dire di aver incontrato frammenti di anfore ellenistiche pithecusane a Napoli, nell'emplekton del muro costruito sullo scorcio del IV secolo (5), mentre Giorgio Buchner ne ha riconosciuti altri a Siracusa, a Cartagine e in Provenza (6).

Fra le anfore importate in epoca ellenistica figurano anfore di Rodi e di Kos, una o due anfore greco-italiche e forse due anfore di Taso (7).

---

(4) Cfr. G. BUCHNER 6.
(5) N. Di Sandro, relazione sul saggio «Villa Chiara-B 1», consegnata alla Soprintendenza Archeologica per le Province di Napoli e Caserta, novembre 1983.
(6) Giorgio Buchner, comunicazione personale.
(7) I dati relativi alle anfore ellenistiche sono stati inclusi nella scheda finale del presente volume per permetterne una prima valutazione, in attesa della pubblicazione del catalogo relativo alle anfore stesse, che esulano dall'ambito cronologico di questo studio.

ABBREVIAZIONI E BIBLIOGRAFIA

R. AMIRAN = R. Amiran, *Ancient Pottery of the Holy Land,* Israel, 1969.

J.K. ANDERSON = J.K. Anderson, *Excavation on the Kofinà Ridge, Chios* in *BSA* 49, 1954, pp. 123-172.

Anfore da trasporto = AA.VV. *Catalogo della Mostra 'Le anfore da trasporto e il commercio etrusco arcaico',* Roma, Museo di Villa Giulia, 1986.

Archeologia Subacquea = Archeologia Subacquea, Boll. Arte 1982, suppl. 4.

J.G. BALDACCHINO = J.G. Baldacchino, *Punic Rock-Tombs near Pawla, Malta* in *BSR* XIX, 1951, pp. 1-22.

J.G. BALDACCHINO-T.J. DUNBABIN = *Rock-Tomb at Ghajn Qajjet, near Rabat, Malta*, in *BSR* XXI, 1953, pp. 32-41.

F. BENOIT = F. Benoit, *Amphores greques d'origine ou de provenance marseillaise*, in *RStLig* 21, 1955, pp. 32-43.

L. BERNABÒ BREA-M. CAVALIER 1 = L. Bernabò Brea-M. Cavalier, *Mylai,* Novara, 1959.

L. BERNABÒ BREA-M. CAVALIER 2 = L. Bernabò Brea-M. Cavalier, *Meligunìs Lipára* II, Palermo, 1965.

J. BOARDMAN-J. HAYES 1 = J. Boardman-J. Hayes, *Excavations at Tocra* I, Oxford, 1966.

J. BOARDMAN-J. HAYES 2 = J. Boardman-J. Hayes, *Excavations at Tocra* II, Oxford, 1973.

M. BONGHI IOVINO = M. Bonghi Iovino, *La necropoli preromana di Vico Equense,* Cava dei Tirreni, 1982.

B. BOULOUMIÉ = B. Bouloumié, *Recherches stratigraphiques sur l'oppidum de Saint-Blaise (BdR),* Avignon, 1982.

R.J. BRAIDWOOD = R.J. Braidwood, *Report on two Sondages on the Coast of Syria, South of Tartous*, in *Syria* XXI, 1940, pp. 183-221.

G. BUCHNER 1 = G. Buchner, *Pithekoussai-Oldest Greek Colony in the West*, in *Expedition,* vol. 8 nr. 4, 1966, pp. 4-12.

G. BUCHNER 2 = G. Buchner, *Recent Work at Pithekoussai (Ischia), 1965-71*, in *Archaeological Reports* 17, 1970-71, pp. 63-67.

G. BUCHNER 3 = G. Buchner, *Nuovi aspetti e problemi posti dagli scavi di Pithecusa con particolari considerazioni sulle oreficerie di stile orientalizzante antico*, in *AA.VV. Contribution à l'étude de la société et de la colonisation eubéennes,* Napoli, 1975, pp. 59-86.

G. BUCHNER 4 = G. Buchner, *Pithekoussai: alcuni aspetti peculiari*, in *ASAtene* LIX (n.s. XLIII), 1981, pp. 263-273.

G. BUCHNER 5 = G. Buchner, *Die Beziehungen zwischen der euböischen Kolonie Pithekoussai auf der Insel Ischia und dem nord-westsemitischen Mittelmeerraum in der zweiten Hälfte des 8. Jhs. v. Chr.*, in *Phönizier im Westen,* Mainz am Rhein, 1982, pp. 277-298, e discussione, pp. 298-306.

G. BUCHNER 6 = G. Buchner, *Le anfore di Pithecusa,* nel catalogo *Anfore da trasporto.*

Y. CALVET-M. YON 1 = Y. Calvet-M. Yon, *Céramique trouvée à Salamine*, in AA. VV., *Greek Geometric and Archaic Pottery found in Cyprus,* Stockholm, 1977, pp. 9-21.

Y. CALVET-M. YON 2 = Y. Calvet-M. Yon, *Salamine de Chypre et le commerce ionien*, in *Les céramiques de la Grèce de l'Est et leur diffusion en Occident,* Napoli, 1978, pp. 43-51.

R. CAMERATA SCOVAZZO-G. CASTELLANA = R. Camerata Scovazzo-G. Castellana, *Palermo-Necropoli punica: Scavi 1980. Notizie preliminari*, in *BCA Sicilia,* 1981, nrr. 1-2, pp. 127-138.

V. Canarache = V. Canarache, *Importul Amforelor Stampilate la Istria,* Editura Academiei Republicii Populare Romîne, 1957.

M. Cavalier = M. Cavalier, *Les amphores du VIe au IVe siècle dans les fouilles de Lipari = Cahiers des Amphores Archaïques et Classiques* 1, Centre J. Bérard, Napoli, 1985.

A. Ciasca 1 = A. Ciasca, *Lo scavo del 1972 e 1973*, in *Mozia IX,* Roma, 1978, pp. 125-143.

A. Ciasca 2 = A. Ciasca, *Scavi alle mura di Mozia (Campagna 1978)*, in *RStFen* 7, 1979, pp. 207-227.

P. Cintas 1 = P. Cintas, *Céramique Punique,* Paris, 1950.

P. Cintas 2 = P. Cintas, *Manuel d'archéologie punique,* Paris, 1976.

P. Cintas-J.J. Jully = P. Cintas-J.J. Jully, *Onze sépultures de la nécropole archaïque de Motyé*, in *Cuadernos de trabajos de la escuela española de arqueologìa en Roma.* 14, 1980, pp. 31-52.

B. Clinkenbeard = B.G. Clinkenbeard, *Lesbian Wine and Storage Amphoras - a Progress Report on Identification*, in *Hesperia* 51, 1982, pp. 248-267.

S. De Luca De Marco = S. De Luca De Marco, *Le anfore commerciali della necropoli di Spina*, in *MélRome* 91, 1979, pp. 571-600.

N. Di Sandro 1 = N. Di Sandro, *Appunti sulla distribuzione della anfore commerciali greche in Campania tra l'VIII secolo e il 273 a.C.,* in *AION ArchStAnt* III, 1981, pp. 1-14.

N. Di Sandro 2 = N. Di Sandro, *Le anfore «massaliote» in Campania*, appendice a L. Cerchiai, *Un corredo arcaico da Pontecagnano*, in *AION ArchStAnt* III, 1981, pp. 49-53.

N. Di Sandro 3 = N. Di Sandro, *Le anfore arcaiche da Pompei* (in corso di stampa).

P. Dupont = P. Dupont, *Amphores commerciales archaïques de la Grèce de l'Est*, in *I Focei dall'Anatolia all'oceano = ParPass* 204-207, 1982, pp. 193-209.

V. Grace 1 = V. Grace, *Stamped Wine Jar Fragments*, in *Hesperia* suppl. X, 1956, pp. 113-189.

V. Grace 2 = V. Grace, *Samian Amphoras*, in *Hesperia* XL, 1971, pp. 52-95.

V. Grace in Ch. Boulter = V. Grace, *Wine Jars*, in Ch. Boulter, *Pottery of the Mid-Fifth Century from a Well in the Athenian Agora*, in *Hesperia* 22, 1953, pp. 101-110.

Histria II = S. Dimitriu-P. Alexandrescu-C. Preda, *Histria* II, Bucaresti, 1966.

H.P. Isler = H.P. Isler, *Samos: la ceramica arcaica*, in AA.VV., *Les céramiques de la Grèce de l'Est et leur diffusion en Occident,* Napoli, 1978, pp. 71-84.

A. Jodin = A. Jodin, *Mogador-Comptoir phénicien du Maroc atlantique,* Tanger, 1966.

A. Johnston-R.E. Jones = A. Johnston-R.E. Jones, *The SOS Amphora*, in *BSA* 73, 1978, pp. 103-141.

C. Jones Eiseman = C. Jones Eiseman, *Amphoras from the Porticello Shipwreck,* in *JNautArch* 2, 1973, pp. 13-23.

V. Karagheorghis = V. Karagheorghis, *Excavations in the Necropolis of Salamis,* Nicosia, 1978.

C.G. Koehler 1 = C.G. Koehler, *Corinthian A and B Transport Amphoras,* Ann Arbor, Michigan, 1981.

C.G. Koehler 2 = C.G. Koehler, *Corinthian Developments in the Study of Trade in the Fifth Century*, in *Hesperia* 50, 1981, pp. 449-458.

C.G. Koehler 3 = C.G. Koehler, *Amphoras on Amphoras*, in *Hesperia* 51, 1982, pp. 284-292.

M. Lambrino = M. Lambrino, *Les Vases Archaïques d'Histria,* Bucaresti, 1938.

E. Lyding Will - E. Lyding Will, *Greco-Ialic Amphoras,* in *Hesperia* 51, 1982, pp. 338-356.

M. Martelli Cristofani = M. Martelli Cristofani, *La ceramica greco-orientale in Etruria*, in AA.VV. *Les céramiques de la Grèce de l'Est et leur diffusion en Occident,* Napoli, 1978, pp. 150-194.

H.B. Mattingly = H.B. Mattingly, *Coins and Amphoras - Chios, Samos and Thasos in the Fifth Century B.C.*, in *JHS* 101, 1981, pp. 78-86.

O. Pancrazzi = O. Pancrazzi, *Pisa. Testimonianze di una rotta greca arcaica*, in *I Focei dall'Anatolia all'Oceano* = *ParPass* 204-207, 1982, pp. 331-342.

P. Pelagatti = P. Pelagatti, *Camarina (Ragusa)*, in *StEtr* XLVI (III serie), 1978, pp. 571-574.

P. Pelagatti-G. Voza = P. Pelagatti-G. Voza et alii, *Archeologia nella Sicilia Sud-Orientale*, Napoli, 1973.

G. Purpura = G. Purpura, *Sul rinvenimento di anfore commerciali etrusche in Sicilia*, in *Sicilia Archeologica* XI, nr. 36, 1978, pp. 43-51.

F. e M. Py = F. e M. Py, *Les amphores étrusques de Vaunage et Villevielle (Gard)*, in *MélRome* 86, 1974, pp. 141-254.

M. Py = M. Py, *Quatre siècles d'amphore massaliète - Essai de classification des bords*, in *Figlina* 3, 1978, pp. 1-23.

D. Ridgway 1 = D. Ridgway, *The Eighth Century Pottery at Pithekoussai: an Interim Report*, in *AA.VV. La céramique grecque ou de tradition grecque au VIIIe siècle en Italie Centrale et Méridionale*, Napoli, 1982, pp. 1-33.

D. Ridgway 2 = D. Ridgway, *L'alba della Magna Grecia*, Milano, 1984.

M. Slaska 1 = M. Slaska, *Gravisca-Le Ceramiche comuni di produzione greco-orientale*, in *AA.VV. Les céramiques de la Grèce de l'Est et leur diffusion en Occident*, Napoli, 1978, pp. 223-230.

M. Slaska 2 = M. Slaska, *Anfore marsigliesi a Gravisca*, in *I. Focei dall'Anatolia all'Oceano* = *ParPass* 204-207, 1982, pp. 354-359.

I. Tamburello = I. Tamburello, *Palermo - Necropoli punica: ritrovamenti del dicembre 1966*, in *NSc* 23, 1969, pp. 277-304.

J.P. Thalmann = J.P. Thalmann, *Tell'Arqu (Liban Nord) - Campagnes I-III (1972-74). Chantier I. Rapport préliminaire*, in *Syria* LV, 1978, 1° e 2° fasc.

V. Tusa = V. Tusa, *Lo scavo del 1970*, in *Mozia* VII, Roma, 1972, pp. 7-81.

G. Vallet-F. Villard = G. Vallet-F. Villard, *Magara Hyblaea II - La céeramique archaïque*, Paris, 1964.

Ch.K. Williams II = Ch. K. Williams II, *Corinth 1977: Forum Southwest*, in *Hesperia* 47, 1978, pp. 1-39.

Ch.K. Williams II-J. MacIntosh-J. Fisher = Ch.K. Williams II-J. MacIntosh-J. Fisher, *Excavation at Corinth, 1973*, in *Hesperia* 43, 1974, pp. 1-76.

J.B. Zeest = J.B. Zeest, *Keramiceskaya tara Bosporo*, in *MIIA* 83, 1960.

A. Zemer = A. Zemer, *Storage Jars in Ancient Sea Trade*, Haifa, 1977.

RIVISTE

AION ArchStAnt = Annali dell'Istituto Universitario Orientale di Napoli - Archeologia e Storia Antica
ASAtene = Annuario della Scuola Archeologica di Atene e delle Missioni Italiane in Oriente
Boll. Arte = Bollettino d'Arte
BSA = Annual of the British School at Athens
BSR = Papers of the British School of Archaeology at Rome
Hesperia = Hesperia-Journal of the American School of Classical Studies at Athens
JHS = Journal of Hellenic Studies
JNautArch = International Journal of Nautical Archaeology and Underwater Exploration
MélRome = Mélanges d'Archéologie et d'Histoire de l'Ecole Française de Rome
MIIA = Materialy i Issliedovania po Arheologii SSSR
NSc = Notizie degli Scavi di Antichità
ParPass = La Parola del Passato
RStFen = Rivista di Studi Fenici
RStLig = Rivista di Studi Liguri
StEtr = Studi Etruschi

Lista delle abbreviazioni

att.	attico
attrib.	attribuzione
bibl.	bibliografia
ca	circa
c.d.	cosiddetto
cfr.	confronta
cit.	citato/a
cor.	fabbrica corinzia
dr.	dottore/essa
dx.	destra
esp.	espansione
est.	esterno/a
fasc.	fascicolo
fig(g).	figura/e
fr(r).	frammento/i
gr. orient.	fabbrica greco-orientale
H	altezza max. di un fr.
h	altezza parziale
imitaz.	imitazione
inf.	inferiore
int.	interno/a
inv.	nr. d'inventario
inv. gen.	nr. di inv. generale (Sopr. Arch. di NA e CE)
Largh.	larghezza max. di un fr.
largh.	larghezza parziale
Lungh.	lunghezza max. di un fr.
lungh.	lunghezza parziale
m	metà
mars.	marsigliese
max.	massimo/a
MV	Monte di Vico
n.i.	fabbrica non individuata
nr(r).	numero/i
n.s.	nuova serie
p(p).	pagina/e
q.	quarto
ric.	ricostruito/a
s(s).	seguente/i
sec.	secolo
sez.	sezione
SG	Scarico Gosetti
sin.	sinistra

s.n.p.	scheda non pubblicata
spess.	spessore max. di una parete
sup.	superiore
suppl.	supplemento
T.	tomba
tav(v).	tavola/e
tipol. orien.	anfora di tipologia orientale
vol.	volume
∅	diametro max. di una parete
ƀ	diametro della bocca
→	in poi

Le dimensioni sono sempre espresse in centimetri

Tabella di riscontro dei dati

Inv. SG	pag.	tav.	tipo di fr.	attribuzione	cronologia	note
1	16	1	collo spalla	SOS attico	4° q. VIII	inv. gen.: 170225 = MV 07 + 04 + 13
2	16	1	collo	SOS attico	4° q. VIII	inv gen.: 170229 = MV 09
3	16	1	labbro collo	SOS attico	4° q. VIII	inv. gen.: 170230 = MV 81
4	17	1	labbro collo	SOS attico	4° q. VIII	inv. gen.: 170226 attrib. dubbia
5	17	1	labbro collo	SOS attico	4° q. VIII	inv. gen.: 170228 = MV 03
6	18	1	piede	SOS attico	fase antica o media	
7	18	1	collo	SOS Calcide	4° q. VIII	inv. gen.: 170223 = MV 70
8	18	1	spalla	SOS Calcide (?)		inv. gen.: 170223 = MV 44 attrib. dubbia
9	19	2	collo	SOS non att.	4° q. VIII	inv. gen.: 170227 = MV 77
10	19	2	labbro collo	SOS non att.	4° q. VIII	inv. gen.: 170222 = MV 78
10	19	2	labbro collo	SOS non att.	4° q. VIII	= MV 79 graffito
12	20	2	labbro collo	SOS attico		inv. gen.: 170232 = MV 06 attrib. dubbia
13	20	2	labbro collo	SOS		inv. gen.: 170234 = MV 32
14	21	2	collo	SOS locale		inv. gen.: 170231 = MV 16 imitaz. locale di SOS
15	21	2	labbro	SOS attico		attrib. dubbia
16	21	2	piede	SOS		
17			ventre	SOS		s.n.p.
18			fr. collo	SOS		s.n.p.
19			ventre	SOS ?		s.n.p.
20			ventre	SOS?		s.n.p.
21			ventre	SOS?		s.n.p.
22			ventre	SOS?		s.n.p.
23			ventre	SOS?		s.n.p.
24			parete	SOS?		s.n.p.
25			ventre?	SOS?		s.n.p.

Inv. SG	pag.	tav.	tipo di fr.	attribuzione	cronologia	note
26			2 frr. ventre	SOS?		s.n.p.
27			parete	SOS?		s.n.p.
28			parete	SOS?		s.n.p.
29			parete	SOS?		s.n.p.
30			parete	SOS?		s.n.p.
31			parete	SOS?		s.n.p.
32			ventre	SOS?		s.n.p.
33			parete	SOS?		s.n.p.
34			parete	SOS?		s.n.p.
35			parete	SOS?		s.n.p.
36			parete	SOS?		s.n.p.
37			parete	SOS?		s.n.p.
38			parete	SOS?		s.n.p.
39			parete	SOS?		s.n.p.
40			parete	SOS?		s.n.p.
41			parete	SOS?		s.n.p.
42			parete	SOS?		s.n.p.
43			ventre	SOS?		s.n.p.
44			parete	SOS?		s.n.p.
45			parete	SOS?		s.n.p.
46			parete	SOS?		s.n.p.
47			ventre	SOS?		s.n.p.
48	24	3	labbro collo ansa	cor. A	2ª m VIII	
49	25	3	labbro collo	cor. A	2ª m VIII	
50	25	3	labbro collo	cor. A	2ª m VIII	
51	25	3	labbro collo	cor. A	2ª m VIII	
52	26	3	labbro collo	cor. A	2ª m VIII	
53	26	3	labbro	cor. A	2ª m VIII	
54	26	4	labbro	cor. A		
55	27	4	labbro	cor. A		
56	27	3	labbro	cor. A		
57	27	6	labbro collo anse	cor. A'	ca m V	
58	28	6	labbro collo ansa	cor. A'	V-IV	
59	28	6	labbro collo	cor. A'	V-IV	
60	28	6	labbro collo	cor. A'		
61	29	6	labbro	cor. A'		
62	29	4	collo ansa	cor. A		argilla verdina

Inv. SG	pag.	tav.	tipo di fr.	attribuzione	cronologia	note
63	29	4	collo	cor. A		
64	29	4	collo	cor. A		stessa anfora del fr. SG 63?
65	30	4	fondo	cor. A		attrib. dubbia
66	30	4	fondo	cor. A		attrib. dubbia
67	31	4	fondo	cor. A		
68	31	6	punta	cor. A'		
69	32	6	punta	cor. A'		attrib. dubbia
70	32	5	spalla ansa	cor. A		anfora frazionaria
71	32	5	a. ansa, b. collo	cor. A		2 frr. non combacianti
72	33	5	ansa	cor. A		
73	33	5	ansa	cor. A		
74	33	5	ansa	cor. A		
75	33	5	ansa	cor. A		
76	34	5	ansa	cor. A		
77	34	5	ansa	cor. A		
78	34	5	ansa	cor. A		
79	34	5	attacco d'ansa	cor. A		
80	34	7	labbro collo spalla ansa	cor. B		
81	35	7	labbro collo	cor. B	VI-V	
82	35	7	labbro collo	cor. B	VI-V	
83	36	7	labbro collo	cor. B		argilla verdina
84	36	7	labbro collo	cor. B		
85	37	7	labbro	cor. B		
86	37	7	fondo	cor. B	ante 3° q. IV	attrib. dubbia
87	37	7	ansa	cor. B		bollata
88	39	8	labbro collo ansa	marsigliese	1ª m V	
89	40	8	labbro collo	marsigliese	1ª m V	
90	40	8	labbro	marsigliese	1ª m V	
91	41	8	labbro	marsigliese	1ª m V	
92	41	8	labbro	marsigliese	1ª m V	
93	41	8	labbro	marsigliese	1ª m V	
94	42	8	fondo	marsigliese		attrib. dubbia
95	42	8	labbro collo	marsigliese	1ª m V	
96	42	8	piede	marsigliese	V-IV	
97	43	8	labbro	marsigliese		argilla verdina attrib. dubbia

Inv. SG	pag.	tav.	tipo di fr.	attribuzione	cronologia	note
98	45	9	labbro collo	imitaz. mars.		
99	46	9	labbro collo	imitaz. mars.		
100	46	9	labbro collo	imitaz. mars.		
101	46	9	labbro collo	imitaz. mars.		
102	47	9	labbro	imit. mars.		
103	47	9	labbro collo	imitaz. mars.		
104	47	9	labbro	imitaz. mars.		
105	48	9	labbro	imitaz. mars.		
106	48	9	labbro	imitaz. mars.		
107	49	9	labbro	imitaz. mars.		
108	49	9	labbro	imitaz. mars.		
109	49	9	labbro collo	imitaz. mars.		
110	50	10	labbro collo	imitaz. mars.		
111	50	10	collo ansa	imitaz. mars.		
112	50	10	collo ansa	imitaz. mars.		
113	51	10	ansa	imitaz. mars.		
114	51	10	ansa	imitaz. mars.		
115	51	10	ansa	imitaz. mars.		
116	51	10	ansa	imitaz. mars.		
117	52	10	ansa	imitaz. mars.		
118	52	10	ansa	imitaz. mars.		
119	52	10	ansa	imitaz. mars.		
120	52	10	ansa	imitaz. mars.		
121	54	11	labbro collo ansa	chiota	m VII-VI	ingubbiata, dipinta
122	54	11	spalla	chiota	m VII-VI	ingubbiata, dipinta
123	55	11	spalla	chiota	m VII-VI	ingubbiata, dipinta
124	55	11	spalla	chiota	m VII-VI	ingubbiata, dipinta
125	55	11	parete	chiota		ingubbiata, dipinta
126	56	11	parete	chiota		ingubbiata, dipinta
127	56	11	ventre	chiota		ingubbiata, dipinta
128	56	11	ansa	chiota		ingubbiata, dipinta
129	56	11	ansa	chiota		ingubbiata, dipinta
130	57	11	ansa	chiota		ingubbiata, dipinta
131	57	11	ansa	chiota		non ingubbiata, dipinta
132	57	11	fondo	chiota	1ª m IV?	grezza
133	58	11	puntale	chiota?		grezza; attrib. dubbia

Inv. SG	pag.	tav.	tipo di fr.	attribuzione	cronologia	note
134	58	11	fondo	chiota?		grezza; attrib. dubbia
135			ansa	chiota		Lagynos; bollata; s.n.p.
136			ansa	chiota		Lagynos; bollata s.n.p.
137	61	12	labbro collo	«chiota»		
138	61	12	labbro collo	«chiota»		
139	62	12	labbro collo	«chiota»		
140	62	12	labbro collo	«chiota»		
141	62	12	labbro collo	«chiota»		
142	63	12	labbro collo	«chiota»		
143	63	12	collo	«chiota»		
144	63	12	collo spalla	«chiota»		
145	64	12	collo	«chiota»		
146	64	12	collo spalla	«chiota»		
147	64	12	collo	«chiota»		da Chios?
148	64	13	fondo	«chiota»		
149	65	13	fondo	«chiota»		
150	65	13	fondo	«chiota»		
151	65	13	fondo	«chiota»		
152	65	13	fondo	«chiota»		attrib. dubbia
153	66	13	fondo	«chiota»		
154	66	13	fondo	«chiota»		
155	66	13	labbro collo	«chiota»		graffito
156	66	13	parete	«chiota»		graffito
157	67	13	spalla	«chiota»		segno dipinto
158	67	13	ansa	«chiota»		
159	67	13	ansa	«chiota»		
160	67	13	ansa	«chiota»		
161	67	13	ansa	«chiota»		
162	68	13	ansa	«chiota»		
163	68	13	ansa	«chiota»		
164	68	13	ansa	«chiota»		
165			parete	«chiota»		s.n.p.
166			parete	«chiota»		s.n.p.
167			parete	«chiota»		s.n.p.
168			parete	«chiota»		s.n.p.
169			parete	«chiota»		s.n.p.

Inv. SG	pag.	tav.	tipo di fr.	attribuzione	cronologia	note
170			parete	«chiota»		s.n.p.
171			parete	«chiota»		s.n.p.
172			parete	«chiota»		s.n.p.
173			14 frr.	«chiota»		s.n.p.
174	72	14	labbro	Samos		
175	73	14	labbro collo	Samos		lekythos? attrib. dubbia
176	73	14	fondo	Samos	m VI?	
177	73	14	fondo	Samos	m VI	
178	74	14	fondo	Samos	m VI?	
179	74	14	fondo	Samos	m VI?	riparato con pasta diversa
180	75	14	fondo	Samos		
181	74	14	fondo	Samos		attrib. dubbia
182	75	14	fondo	Samos		lekythos?
183	76	14	ansa	Samos		bollata
184	76	14	ansa	Samos		anfora frazionaria
185	77	15	labbro	gr. orien.		forse stessa anfora di SG. 194
186	77	15	labbro	gr. orient.		
187	78	15	fondo	gr. orient.		
188	78	15	fondo	gr. orient.		
189	79	15	ansa	gr. orient.		bollata
190	79	15	ansa	gr. orient.		bollata
191	79	15	ansa	gr. orient.		bollata
192	80	15	ansa	gr. orient.		dipinta
193	80	15	ansa	gr. orient.		
194	80	15	ansa	gr. orient.		graffito; forse stessa anfora di SG 185
195	81	15	ansa	gr. orient.		
196	81	15	ansa	gr. orient.		
197	82	16	labbro collo spalla ansa	Mende	2ª m V?	
198	83	16	labbro collo	Mende	2ª m V?	
199	83	16	collo	Mende	2ª m V?	
200	84	16	fondo	Mende	2ª m V?	
201	86	17	labbro collo ansa	Lesbos	3° q. VII	
202	87	17	labbro ansa	Lesbos	3° q. VII	

145

Inv. SG	pag.	tav.	tipo di fr.	attribuzione	cronologia	note
203	87	17	parete	Lesbos		
204	119	27	labbro collo spalla ansa	n.i.		
205			ansa	Rodi	ellenistica	bollata; s.n.p.
206			ansa	Rodi	ellenistica	bollata; s.n.p.
207			ansa	Rodi	ellenistica	s.n.p.
208			ansa	Rodi	ellenistica	s.n.p.
209			collo	Rodi	ellenistica	s.n.p.
210			ansa	Taso?	ellenistica	bollata; s.n.p.
211			ansa	Taso?	ellenistica	s.n.p.
212	93	18	labbro spalla ventre ansa	«fenicia»	2ª m VIII	
213	94	18	spalla ansa ventre	«fenicia»	2ª m VIII	
214	94	19	labbro spalla ventre	«fenicia»	2ª m VIII	
215	95	20	spalla ansa ventre	«fenicia»	2ª m VIII	
216	95	19	labbro spalla ventre	«fenicia»	2ª m VIII	
217	95	20	labbro spalla ventre	«fenicia»	2ª m VIII	
218	96	21	labbro spalla ventre	«fenicia»	2ª m VIII	
219	96	19	labbro spalla ventre	«fenicia»	2ª m VIII	
220	96	21	labbro anse spalla	«fenicia»	2ª m VIII	grumo incrostato
221	97	21	labbro spalla	«fenicia»	2ª m VIII	
222	97	21	labbro spalla	«fenicia»	2ª m VIII	
223	97	21	labbro spalla	«fenicia»	2ª m VIII	
224	98	22	labbro spalla	«fenicia»	2ª m VIII	
225	31	4	fondo	cor. A		
226			spalla ventre	n.i.	ellenistica	bollata; s.n.p.
227	98	22	spalla ventre	«fenicia»	2ª m VIII	
228	98	22	fondo	«fenicia»	2ª m VIII	5 frr non combacianti
229	98	22	ansa spalla	«fenicia»	2ª m VIII	
230	99	22	ansa spalla	«fenicia»	2ª m VIII	
231	99	22	ansa spalla	«fenicia»	2ª m VIII	
232	103	23	labbro spalla	ogivale	2ª m VIII	
233	103	23	spalla ansa	ogivale	2ª m VIII	
234	103	23	spalla ansa	ogivale	2ª m VIII	
235	103	23	spalla ansa	ogivale	2ª m VIII	
236	104	23	spalla ansa	ogivale	2: m VIII	
237	105	23	ansa ventre	tipol. orien.		
238	105	23	ansa ventre	tipol. orien.		

Inv. SG	pag.	tav.	tipo di fr.	attribuzione	cronologia	note
239	105	23	ansa ventre	tipol. orien.		
240	119	27	labbro collo	n.i.		
241	120	27	labbro collo	n.i.		
242	110	24	labbro spalla	locale A	m VIII-m VII	
243	110	24	labbro collo spalla	locale A	m VIII-m VII	
244	113	25	labbro ansa spalla	locale B	m VII-m VI	
245	114	25	labbro spalla	locale B	m VII-m VI	
246	115	25	labbro	locale A o B	m VIII-m VI	
247	111	24	spalla ansa	locale A	m VIII-m VII	
248	111	24	ansa	locale A	m VIII-m VII	
249	111	24	spalla ansa	locale A	m VIII-m VII	
250	111	24	ansa	locale A	m VIII-m VII	
251	111	24	ansa spalla	locale A	m VIII-m VII	
252	112	24	ansa spalla	locale A	m VIII-m VII	anfora a ogiva?
253	112	24	ansa spalla	locale A	m VIII-m VII	
254	112	24	ansa spalla	locale A	m VIII-m VII	
255	112	24	ansa spalla	locale A	m VIII-m VII	
256	113	24	ansa	locale A	m VIII-m VII	
257	113	24	ansa	locale A	m VIII-m VII	attr. dubbia
258	114	25	ansa	locale B	m VII-m VI	
259	114	25	ansa	locale B	m VII-m VI	
260	114	25	ansa	locale B	m VII-m VI	
261	115	25	ansa collo	locale B	m VII-m VI	
262	115	25	ansa	locale B	m VII-m VI	
263	115	25	ansa spalla	locale		dipinta, attr. dubbia
264	116	25	ansa	locale		dipinta, attr. dubbia
265			labbro collo spalla	locale	ellenistica	s.n.p.
266			labbro collo spalla ansa	locale	ellenistica	s.n.p.
267			labbro collo	locale	ellenistica	s.n.p.
268			labbro collo spalla ansa	locale	ellenistica	s.n.p.
269			labbro collo	locale	ellenistica	s.n.p.
270			labbro	locale	ellenistica	s.n.p.
271			labbro	locale	ellenistica	s.n.p.
272			labbro	locale	ellenistica	s.n.p.
273			labbro	locale	ellenistica	s.n.p.
274			labbro	locale	ellenistica	s.n.p.

Inv. SG	pag.	tav.	tipo di fr.	attribuzione	cronologia	note
275			labbro	locale	ellenistica	s.n.p.
276			spalla ansa	locale	ellenistica	s.n.p.; bollata
277			spalla	locale	ellenistica	graffito; s.n.p.
278			spalla	locale	ellenistica	graffito; s.n.p.
279			labbro ansa	locale	ellenistica	bollata; s.n.p.
280			labbro ansa	locale	ellenistica	bollata; s.n.p.
281			ansa	locale	ellenistica	bollata; s.n.p.
282			ansa	locale	ellenistica	bollata; s.n.p.
283			ansa	locale	ellenistica	bollata; s.n.p.
284			ansa	locale	ellenistica	bollata; s.n.p.
285			ansa	locale	ellenistica	bollata; s.n.p.
286			ansa	locale	ellenistica	bollata; s.n.p.
287			ansa	locale	ellenistica	bollata; s.n.p.
288			ansa	locale	ellenistica	bollata; s.n.p.
289			ansa	locale	ellenistica	bollata; s.n.p.
290			ansa	locale	ellenistica	bollata; s.n.p.
291			ansa	locale	ellenistica	bollata; s.n.p.
292			ansa	locale	ellenistica	bollata; s.n.p.
293			ansa	locale	ellenistica	bollata; s.n.p.
294			ansa	locale	ellenistica	bollata; s.n.p.
295			ansa	locale	ellenistica	bollata; s.n.p.
296			ansa	locale	ellenistica	bollata; s.n.p.
297			ansa	locale	ellenistica	s.n.p.
298			ansa	locale	ellenistica	s.n.p.
299			ansa	locale	ellenistica	s.n.p.
300			ansa	locale	ellenistica	s.n.p.
301			ansa	locale	ellenistica	s.n.p.
302			ansa	locale	ellenistica	s.n.p.
303			ansa	locale	ellenistica	s.n.p.
304			ansa	locale	ellenistica	s.n.p.
305			ansa	locale	ellenistica	s.n.p.
306			ansa	locale	ellenistica	s.n.p.
307			ansa?	locale	ellenistica	s.n.p.
308			fondo	locale	ellenistica	s.n.p.
309			fondo	locale	ellenistica	s.n.p.
310			fondo	locale	ellenistica	s.n.p.
311			fondo	locale	ellenistica	s.n.p.

Inv. SG	pag.	tav.	tipo di fr.	attribuzione	cronologia	note
312			fondo	locale	ellenistica	s.n.p.
313			fondo	locale	ellenistica	s.n.p.
314			fondo	locale	ellenistica	s.n.p.
315			fondo	locale	ellenistica	s.n.p.
316			fondo	locale	ellenistica	s.n.p.
317			fondo	locale	ellenistica	s.n.p.
318			fondo	locale	ellenistica	s.n.p.
319			fondo	locale	ellenistica	s.n.p.
320			fondo	locale	ellenistica	s.n.p.
321			fondo	locale	ellenistica	s.n.p.
322			fondo	locale	ellenistica	s.n.p.
323	117	26	labbro ansa spalla	etrusca	550-400	
324	117	26	labbro	etrusca	550-400	
325	118	26	labbro spalla	etrusca	620-550	
326	120	27	labbro collo spalla	n.i.		graffito
327	120	27	labbro collo spalla ansa	n.i.		
328	121	27	labbro	n.i.		
329	122	28	labbro collo	n.i.		
330	122	28	labbro	n.i.		
331	122	28	labbro	n.i.		
332	122	28	labbro	n.i.		
333	123	28	labbro	n.i.		
334	123	28	labbro	n.i.		
335	124	28	labbro collo	n.i.		
336	124	28	labbro collo ansa	n.i.		
337	124	28	collo ansa	n.i.		
338	124	29	collo spalla ansa	n.i.		
339	125	29	collo spalla	n.i.		
340	125	29	fondo	n.i.		
341	125	29	fondo	n.i.		
342	38	7	ansa	corinzia B		bollata
343			ansa	greco-italica ellenistica		bollata; s.n.p.
344	125	29	ansa	n.i.		bollata
345	126	29	ansa spalla	n.i.		
346	126	29	ansa	n.i.		

Inv. SG	pag.	tav.	tipo di fr.	attribuzione	cronologia	note
347	126	30	ansa	n.i.		
348	126	30	ansa	n.i.		
349	127	30	ansa	n.i.		
350	127	30	ansa	n.i.		
351	127	30	ansa	n.i.		
352	127	30	ansa	n.i.		
353	128	30	ansa	n.i.		
354			ansa	Kos	ellenistica	s.n.p.

TAVOLE

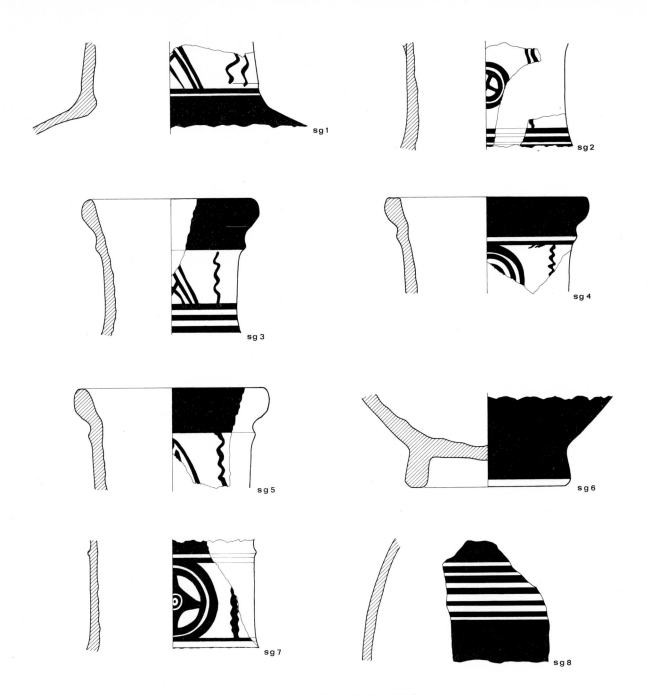

TAV. 1   Anfore di tipo SOS

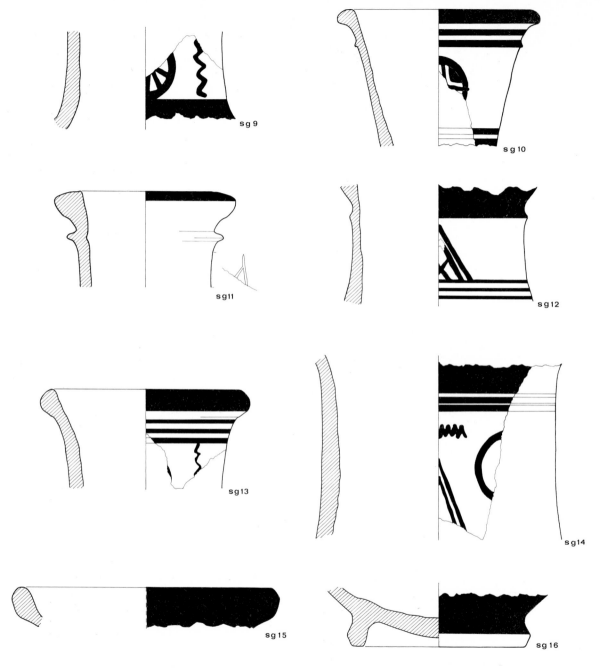

TAV. 2 Anfore di tipo SOS

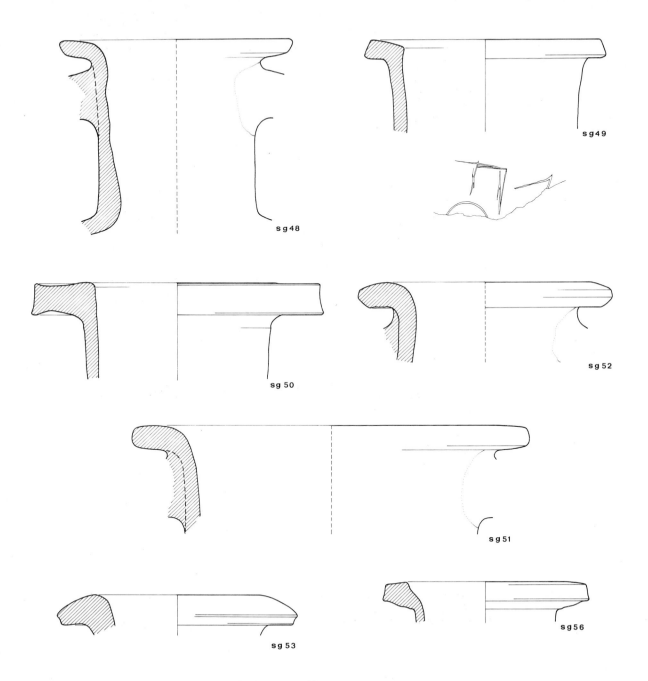

sg48

sg49

sg50

sg52

sg51

sg53

sg56

TAV. 3 Anfore corinzie A

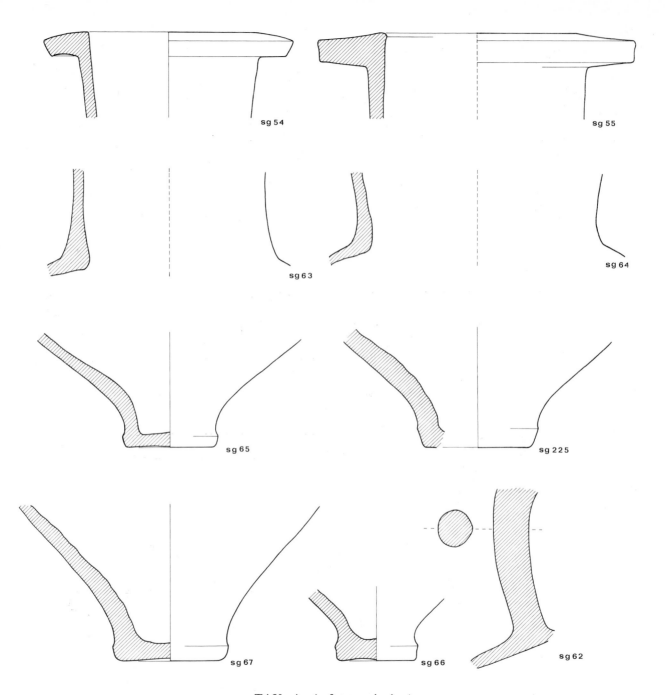

TAV. 4   Anfore corinzie A

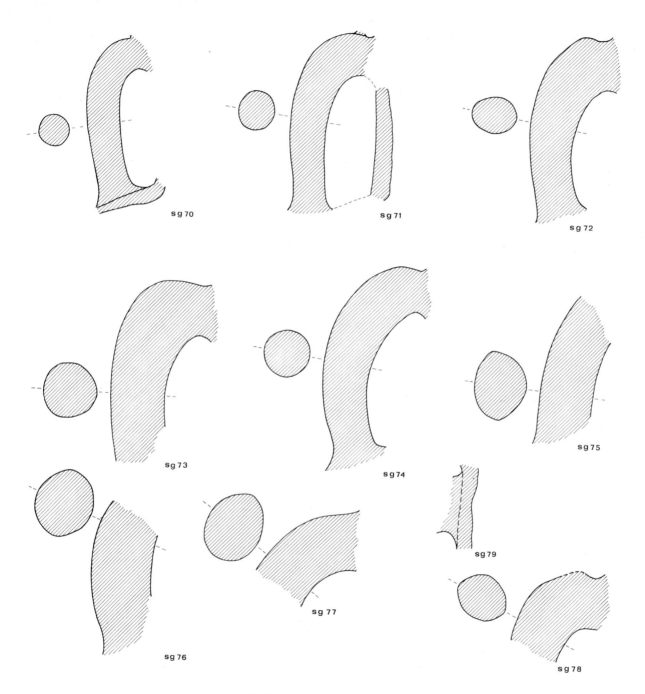

sg 70

sg 71

sg 72

sg 73

sg 74

sg 75

sg 76

sg 77

sg 79

sg 78

TAV. 5   Anfore corinzie A

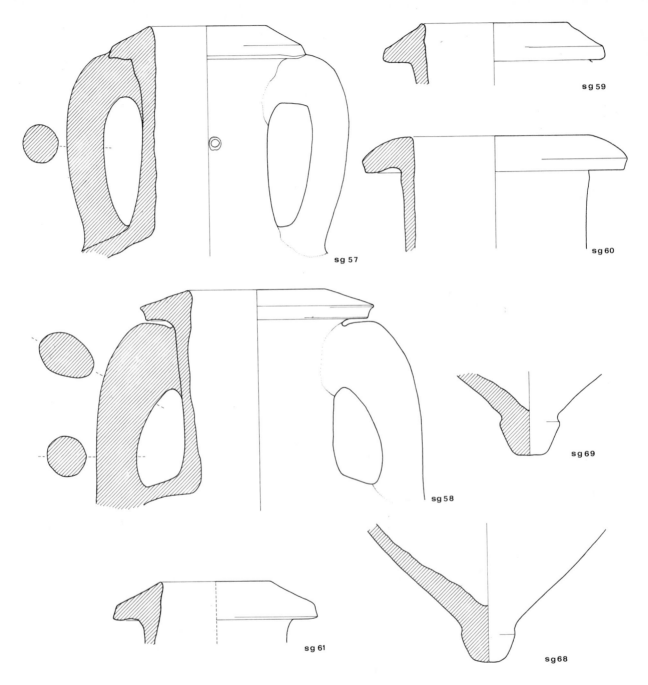

sg 59

sg 57

sg 60

sg 69

sg 58

sg 61

sg 68

TAV. 6 Anfore corinzie A'

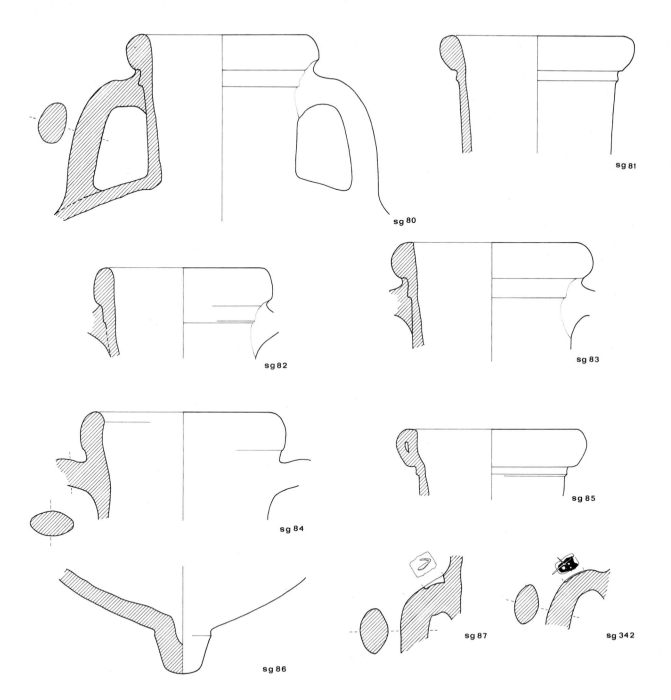

sg 80

sg 81

sg 82

sg 83

sg 84

sg 85

sg 86

sg 87

sg 342

TAV. 7   Anfore corinzie B

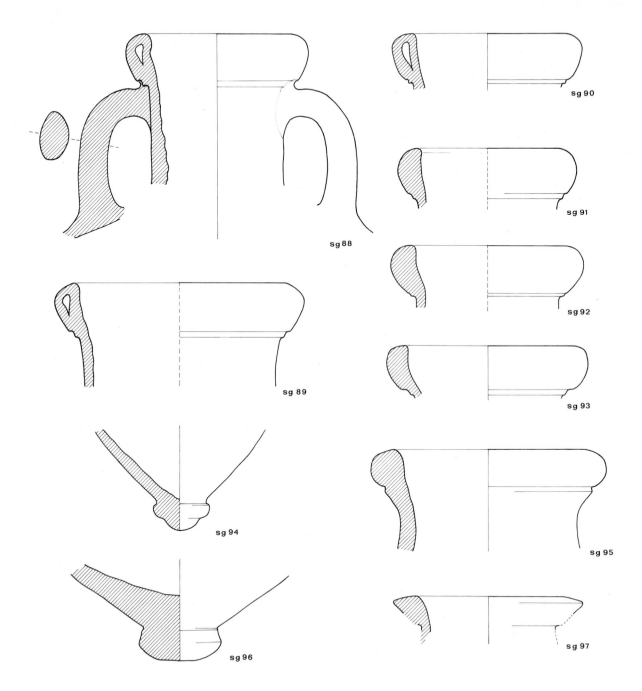

sg 90

sg 91

sg 92

sg 93

sg 88

sg 89

sg 94

sg 95

sg 96

sg 97

TAV. 8   Anfore marsigliesi

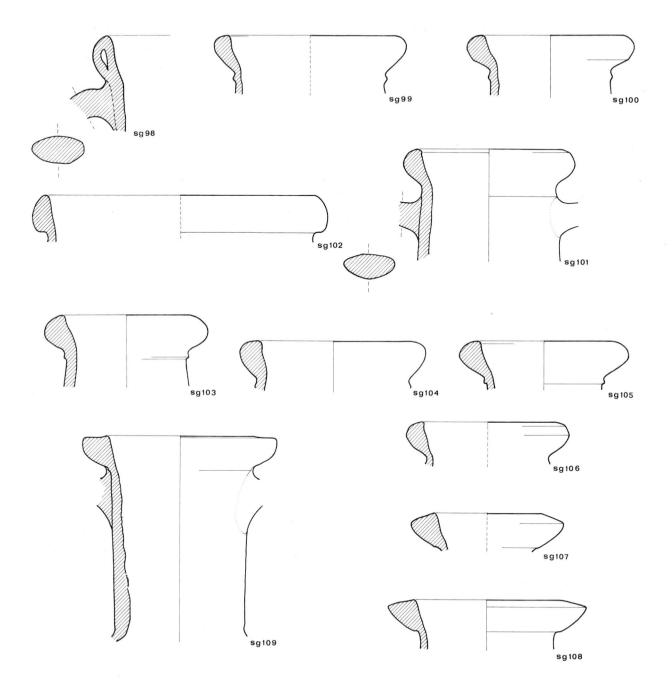

TAV. 9 Imitazioni di anfore marsigliesi

sg98
sg99
sg100
sg101
sg102
sg103
sg104
sg105
sg106
sg107
sg108
sg109

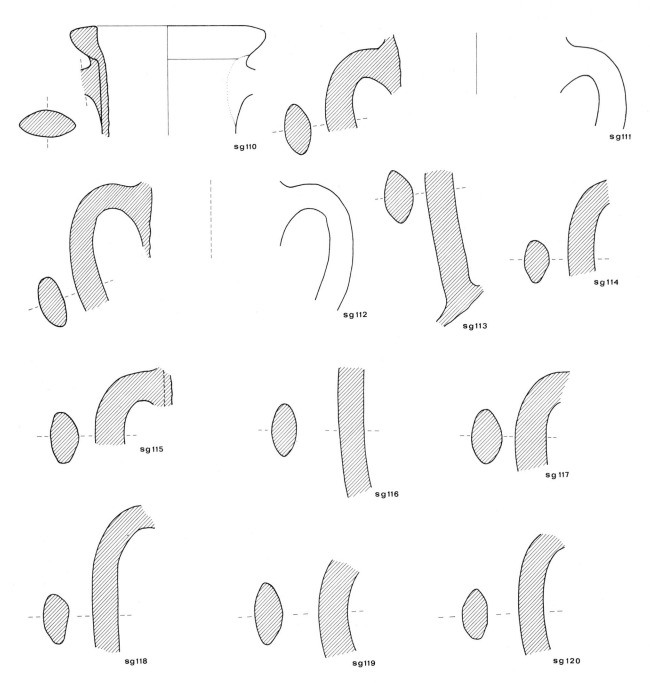

TAV. 10   Imitazioni di anfore marsigliesi

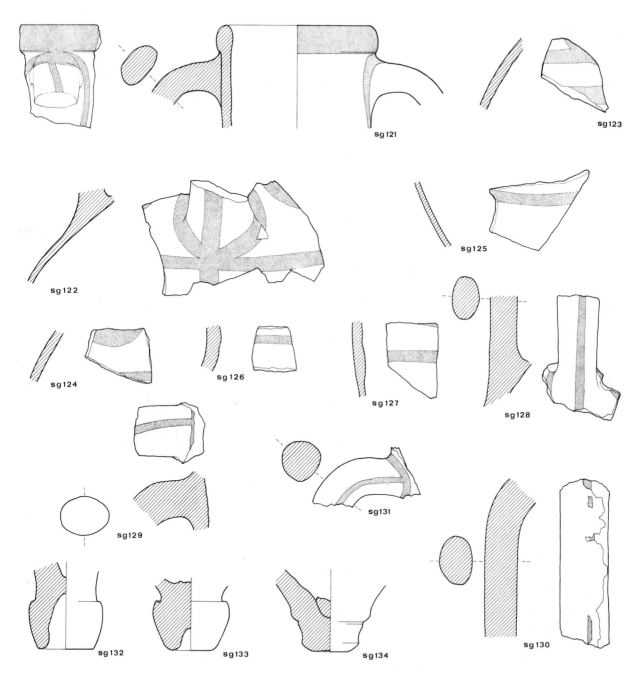

sg 121

sg 123

sg 122

sg 125

sg 124

sg 126

sg 127

sg 128

sg 129

sg 131

sg 132

sg 133

sg 134

sg 130

TAV. 11   Anfore chiote

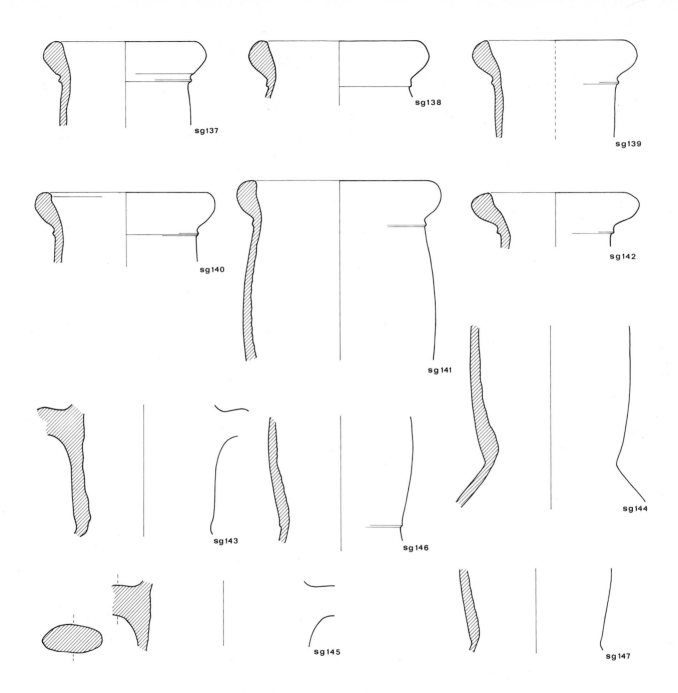

sg137

sg138

sg139

sg140

sg141

sg142

sg143

sg144

sg145

sg146

sg147

TAV. 12 Anfore c.d. "chiote"

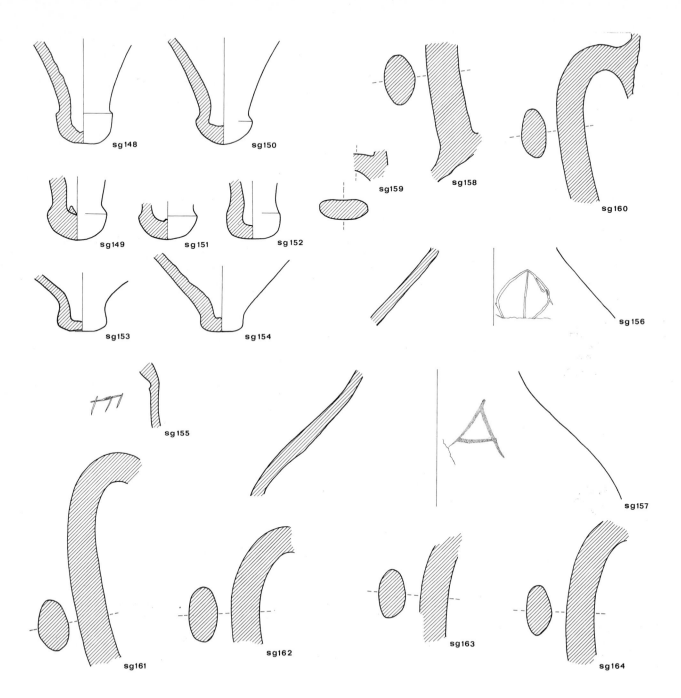

TAV. 13 Anfore c.d. "chiote"

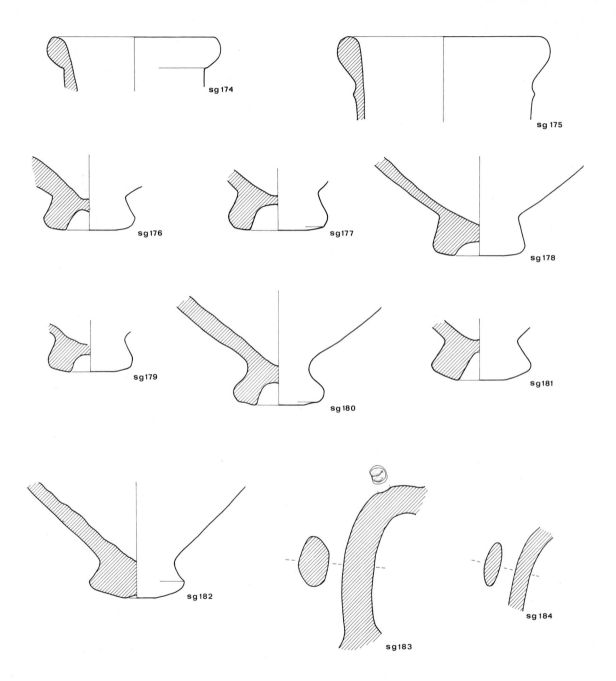

sg 174

sg 175

sg 176

sg 177

sg 178

sg 179

sg 180

sg 181

sg 182

sg 183

sg 184

TAV. 14 Anfore di Samos

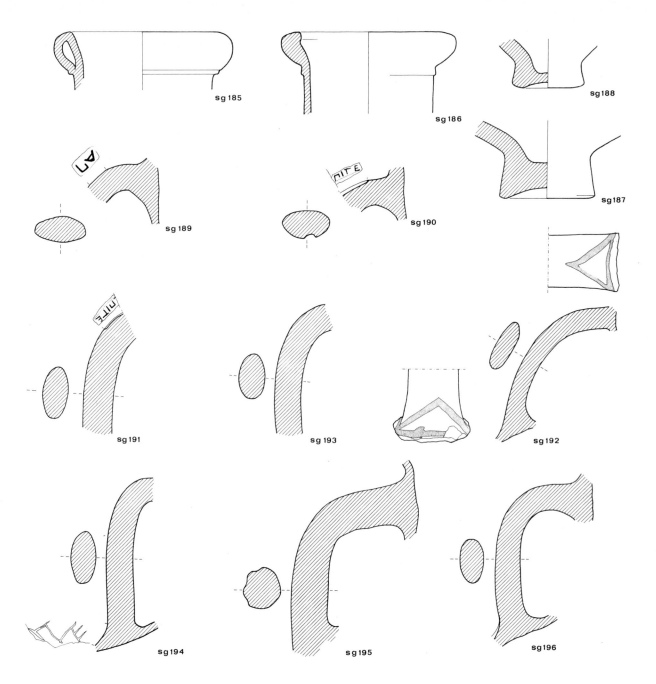

sg185

sg186

sg188

sg189

sg190

sg187

sg191

sg193

sg192

sg194

sg195

sg196

TAV. 15   Anfore greco-orientali

sg 197

sg 198

sg 199

sg 200

TAV. 16 Anfore di Mende

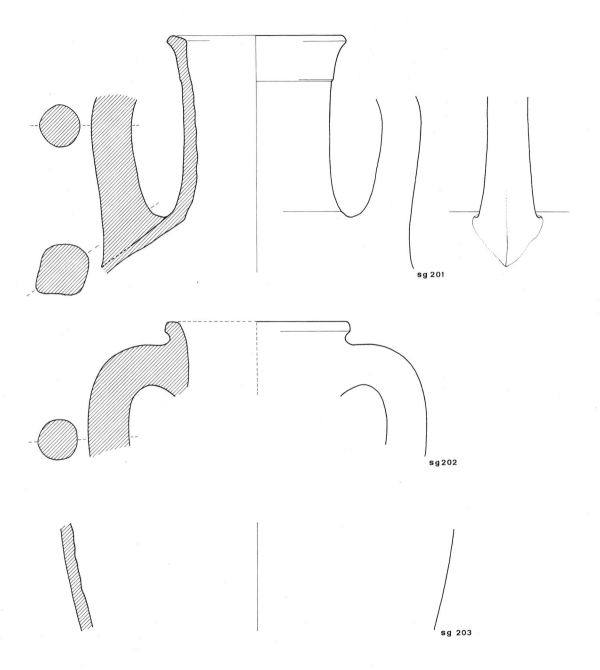

sg 201

sg 202

sg 203

TAV. 17 Anfore di Lesbos

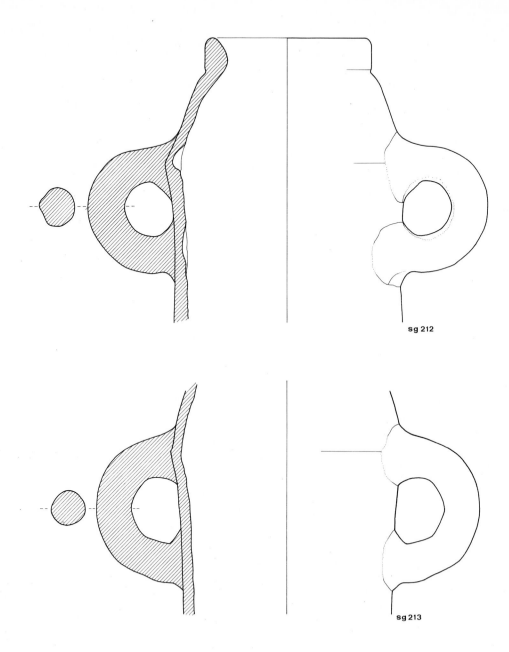

sg 212

sg 213

TAV. 18   Anfore "fenicie" a spalla emisferica distinta

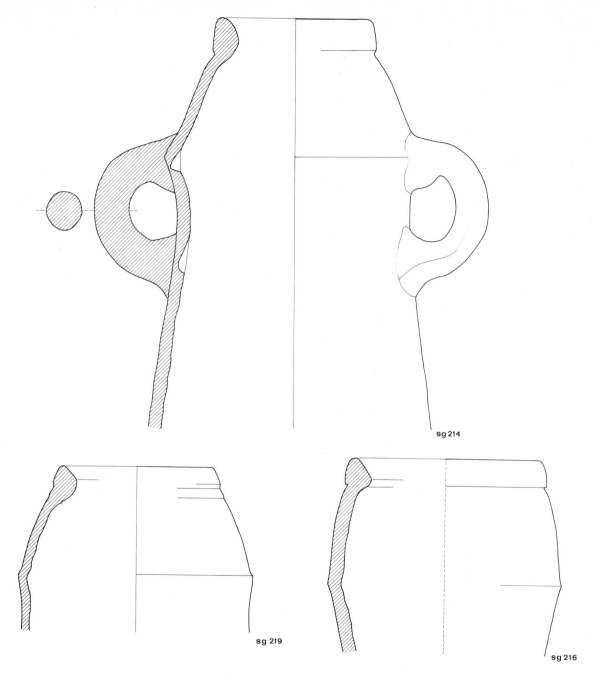

sg 214

sg 219

sg 216

TAV. 19   Anfore ''fenicie'' a spalla emisferica distinta

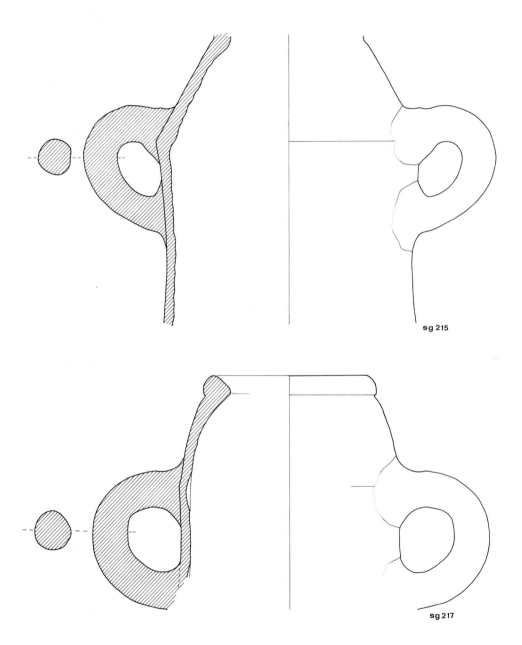

sg 215

sg 217

TAV. 20   Anfore "fenicie" a spalla emisferica distinta

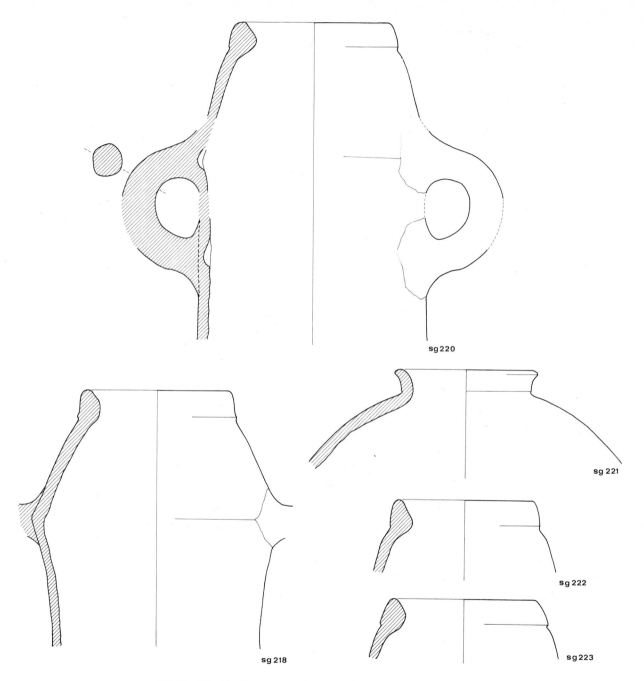

sg 220

sg 221

sg 222

sg 223

sg 218

TAV. 21   Anfore "fenicie" a spalla emisferica distinta

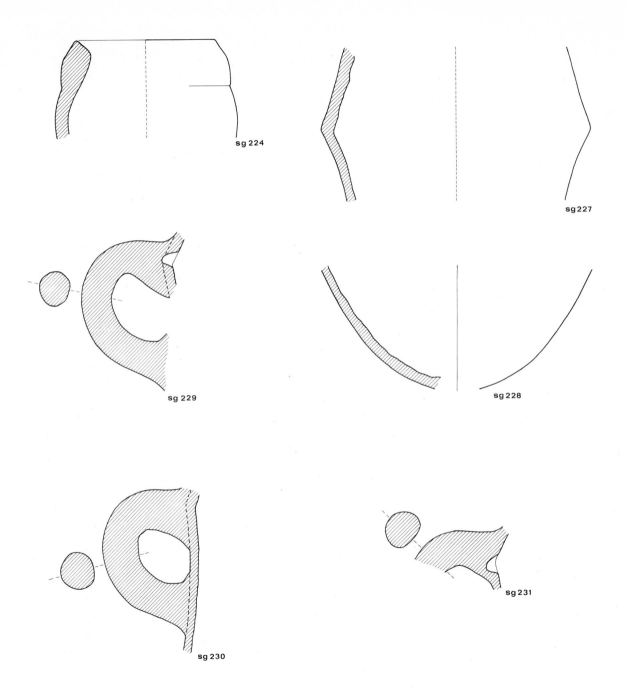

TAV. 22 Anfore "fenicie" a spalla emisferica distinta

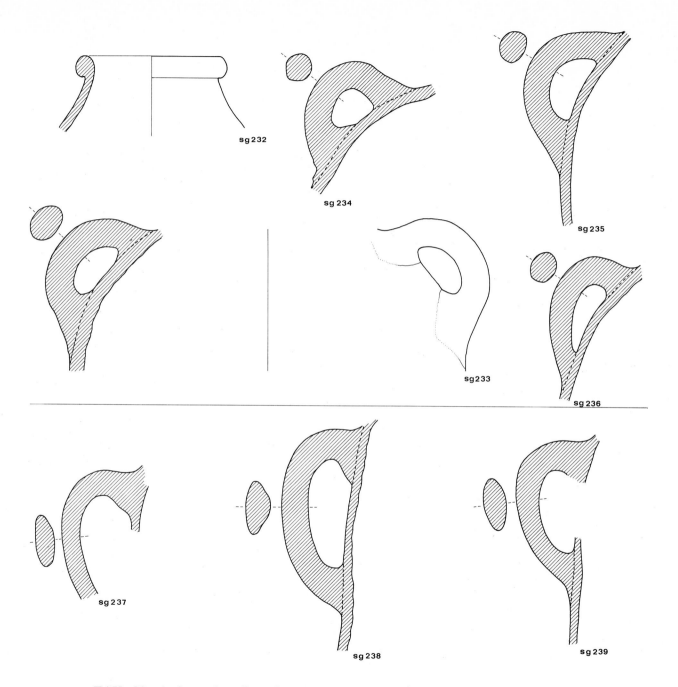

TAV. 23   Anfore orientali a ogiva (SG 232-236) e di tipologia non definita (SG 237-239)

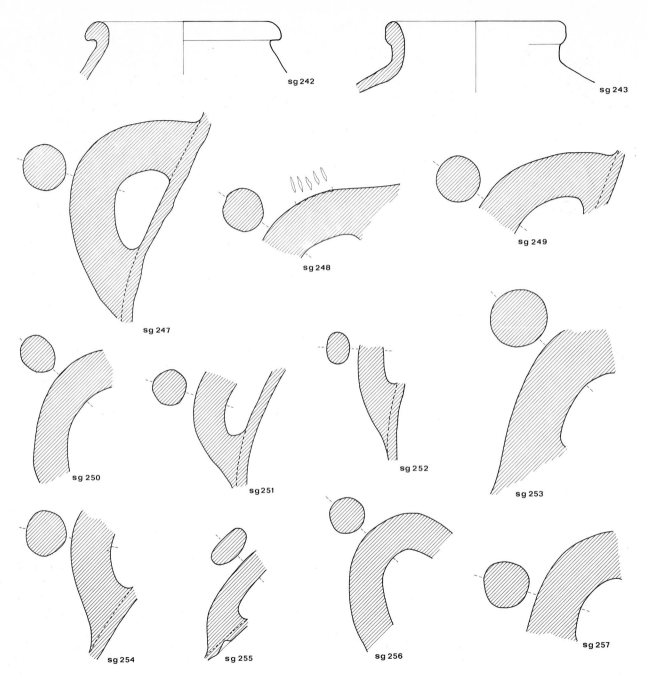

sg 242

sg 243

sg 247

sg 248

sg 249

sg 250

sg 251

sg 252

sg 253

sg 254

sg 255

sg 256

sg 257

TAV. 24   Anfore locali di tipo A

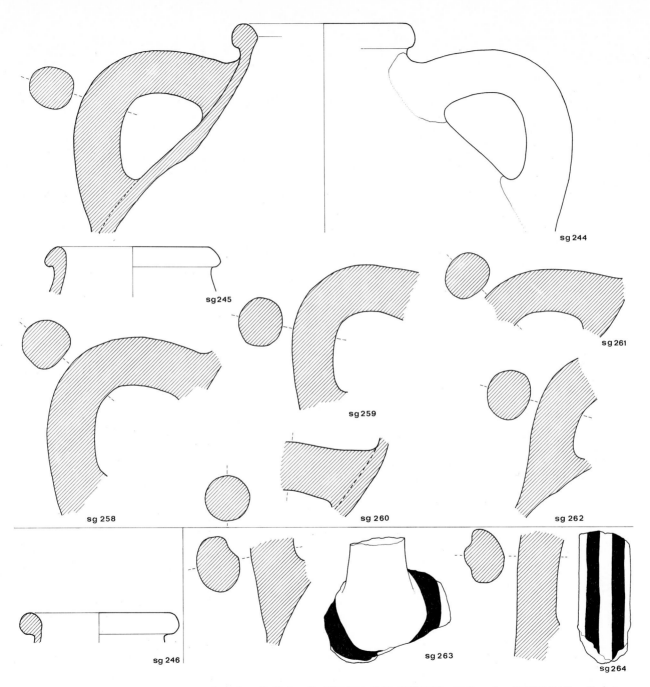

TAV. 25 Anfore locali di tipo B (SG 244, 245, 258-262), di tipo A o B (SG 246) e dipinte (SG 263, 264)

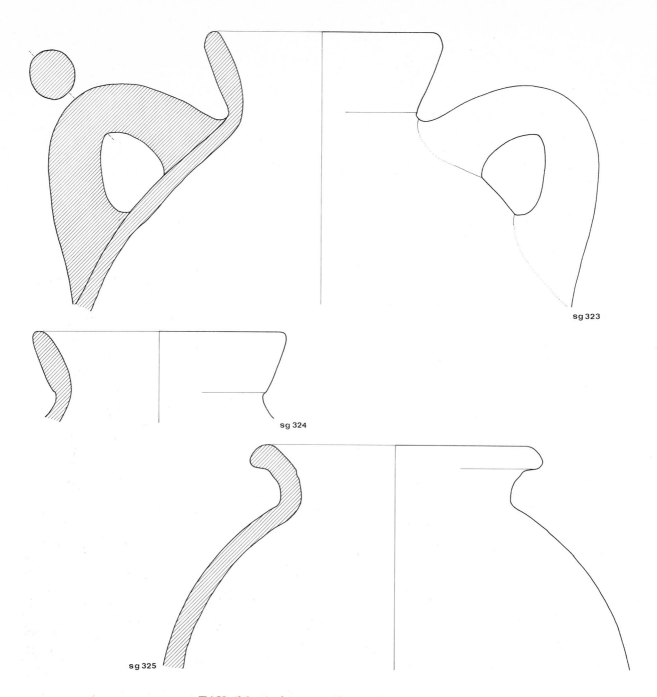

sg 323

sg 324

sg 325

TAV. 26   Anfore etrusche

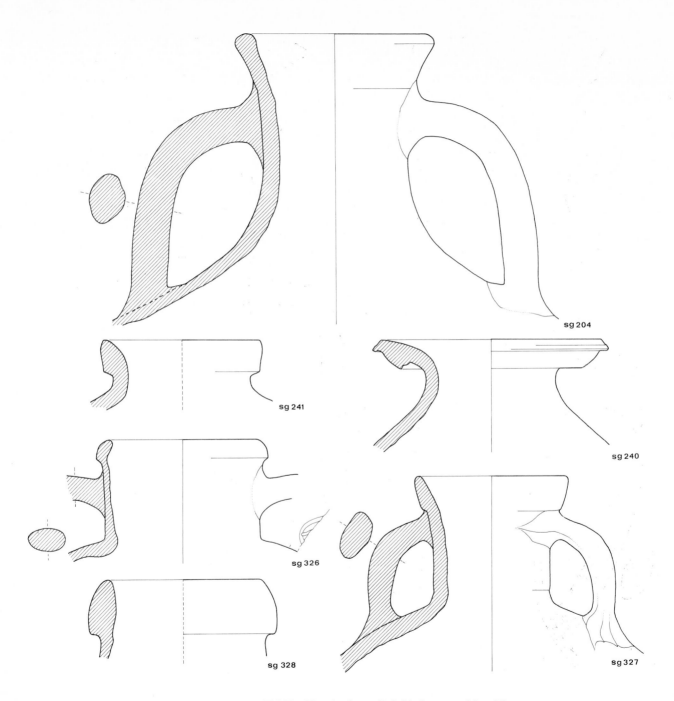

sg 204

sg 241

sg 240

sg 326

sg 328

sg 327

TAV. 27   Anfore di fabbrica non identificata

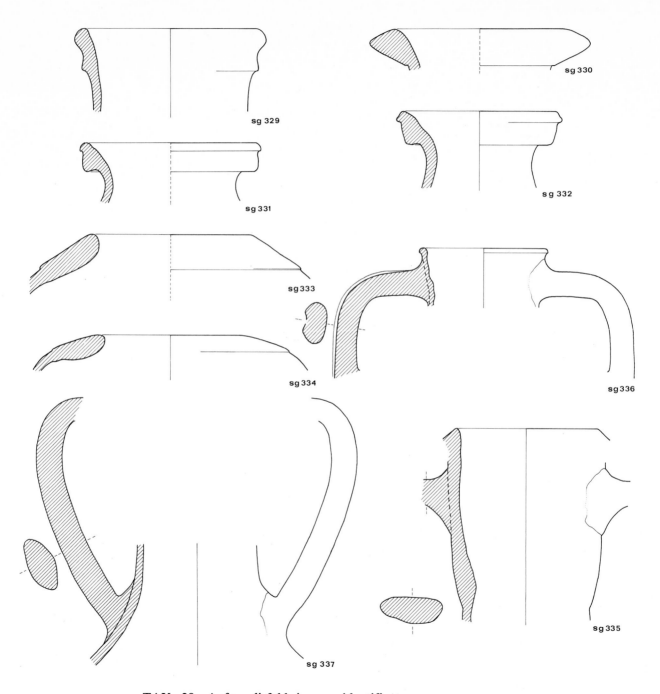

sg 329

sg 330

sg 331

sg 332

sg 333

sg 334

sg 336

sg 335

sg 337

TAV. 28   Anfore di fabbrica non identificata

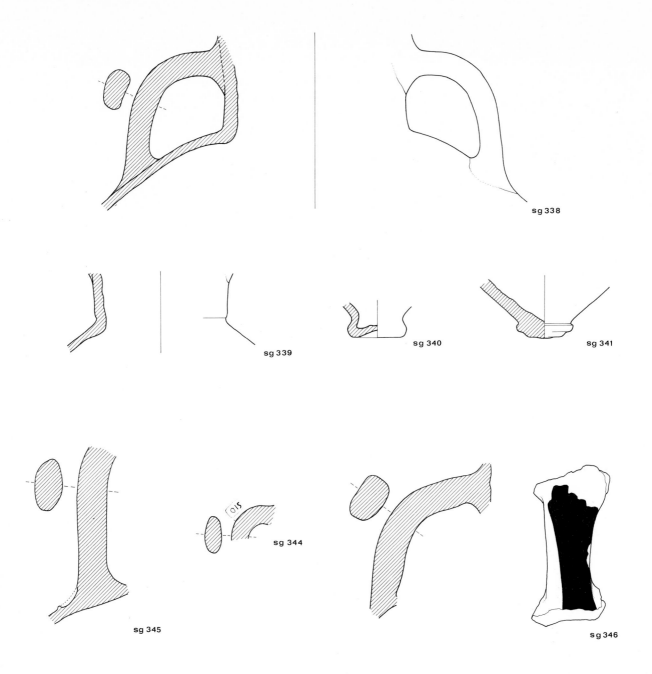

sg 338

sg 339

sg 340

sg 341

sg 344

sg 345

sg 346

TAV. 29   Anfore di fabbrica non identificata

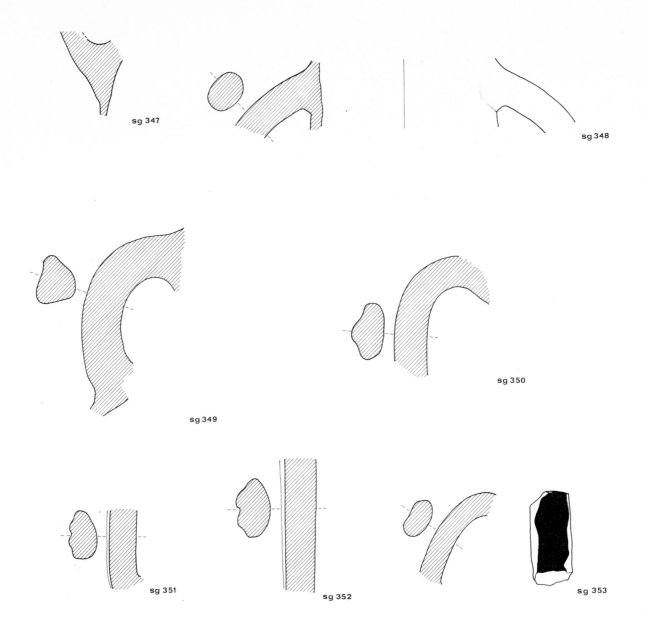

sg 347

sg 348

sg 349

sg 350

sg 351

sg 352

sg 353

TAV. 30 Anfore di fabbrica non identificata

Tip. CENTENARI - Via della Luce 32/A - Roma